gli elefanti

Pier Paolo Pasolini

Teorema

Garzanti

In questa collana
Prima edizione: settembre 1991
Seconda edizione: giugno 1994

ISBN 88-11-66791-7

Teorema

Parte prima

«Dio fece quindi piegare il popolo
per la via del deserto.»
Esodo, 13, 18

1 Dati

I primi dati di questa nostra storia consistono, molto modestamente, nella descrizione di una vita famigliare. Si tratta di una famiglia piccolo borghese: piccolo borghese in senso ideologico, non in senso economico. È infatti il caso di persone molto ricche, che abitano a Milano. Crediamo che non sia difficile per il lettore immaginare come queste persone vivano; come si comportino nei loro rapporti col loro ambiente (che è quello appunto della ricca borghesia industriale), come agiscano nella loro cerchia famigliare, e così via. Crediamo inoltre che non sia neanche difficile (consentendoci quindi di evitare certi non nuovi particolari di costume) immaginare a una a una° queste persone: non si tratta, infatti, in nessun modo di persone eccezionali, ma di persone più o meno medie.

Suonano le campane di mezzogiorno. Sono le campane del vicino Lainate, o di Arese, ancora più vicino. Al suono delle campane, si mescolano gli urli, discreti e quasi dolci, delle sirene.

Una fabbrica occupa tutto intero l'orizzonte (molto incerto, per la leggera nebbia che neanche la luce del mezzogiorno riesce a diradare) con le sue muraglie di un verde tenero come l'azzurrino del cielo. È una stagione imprecisata (potrebbe essere primavera, o l'inizio dell'autunno: o tutte e due insieme, perché questa nostra storia non ha una successione cronologica), e i pioppi che cingono in lunghe file regolari l'immensa radura dove è sorta (solo da pochi mesi o anni) la fabbrica, sono nudi, o appena ingemmati (oppure hanno le foglie secche).

All'annuncio del mezzogiorno, gli operai cominciano a uscire dalla fabbrica, e le file dei posteggi delle macchine, che sono centinaia e centinaia, cominciano ad animarsi...

In questo ambiente, contro questo sfondo, si presenta il primo personaggio del nostro racconto.

Dall'ingresso principale della fabbrica — tra i saluti quasi militari dei guardiani — esce infatti, lentamente una Mercedes: dentro, con una faccia dolce e preoccupata, un poco spenta, da uomo che per tutta la vita non si è occupato che di affari e, forse saltuariamente, di sport, c'è il proprietario — o almeno il principale azionista — di quella fabbrica. La sua età va dai quaranta ai cinquant'anni: ma è molto giovanile (il viso è abbronzato e i capelli sono appena un po' grigi, il corpo ancora agile e muscoloso, come appunto quello di chi ha fatto in gioventù, e continua a fare, dello sport). Il suo sguardo è perduto nel vuoto, tra preoccupato, annoiato o semplicemente inespressivo: perciò indecifrabile. L'entrare e l'uscire così solennemente dalla fabbrica — di cui è padrone — non è per lui che un'abitudine. Insomma, egli ha l'aria di un uomo profondamente immerso nella sua vita: l'essere un uomo importante da cui dipendono i destini di tanti altri uomini, lo rende, come succede, irraggiungibile, estraneo, misterioso. Ma si tratta di un mistero, per così dire, povero di spessore e di sfumature.

La sua macchina si lascia alle spalle la fabbrica, lunga come l'orizzonte, e quasi sospesa nel cielo, e prende la via, appena costruita tra i vecchi pioppeti, che va verso Milano.

2 Altri dati (I)

Suonano le campane di mezzogiorno.

Pietro, il secondo personaggio della nostra storia — figlio del primo — esce dal portone del liceo Parini. (O forse è già uscito, e sta già rincasando, lungo le strade di ogni giorno.)

Anche lui, come il padre, ha nella fronte non grande (anzi, quasi meschina), la luce dell'intelligenza di chi non ha vissuto inutilmente un'adolescenza in una famiglia milanese molto ricca; ma, molto più visibilmente del padre, ne ha patito: così che invece di esserne venuto fuori un ragazzo sicuro di sé, e magari, come il padre, sportivo, ne è venuto fuori un ragazzo debole, con la piccola fronte violacea, con gli occhi già invigliacchiti dall'ipocrisia, con il ciuffo ancora un po' ribaldo, ma già spento da un futuro di borghese destinato a non lottare.

Nell'insieme, Pietro ricorda qualche personaggio cinematografico dei vecchi film muti, potremmo addirittura dire — misteriosamente e irresistibilmente — Charlot: senza ragione alcuna, a dire il vero. Tuttavia non si può fare a meno di pensare, vedendolo, che egli è fatto, come Charlot, per indossare cappottoni e giacchette che gli vanno troppo grandi, con le maniche che penzolano mezzo metro sotto la mano — o per correre dietro a un tram che non raggiungerà mai — o per scivolare dignitosamente su una buccia di banana in qualche quartiere cittadino grigio e tragicamente solitario.

Queste però non sono che delle considerazioni vivaci e estemporanee; il lettore non deve lasciarsene fuorviare. Per ora Pietro può essere perfettamente immaginato come un qualsiasi giovane milanese, studente del Parini, riconosciuto dai suoi compagni, in tutto e per tutto, come un fratello, un complice, un commilitone, nella loro innocente lotta di classe, appena iniziata e già così sicura.

Egli cammina infatti, con aria furba e lieta, accanto a una biondina, chiaramente del suo stesso censo e della sua stessa tradizione sociale, che è senza dubbio, presentemente, la sua ragazza. Su questo non ci devono essere equivoci: Pietro, rincasando, per i bei prati di un giardino pubblico milanese, toccati da un cocente sole (anch'esso impalpabile possesso di chi possiede la città), è occupato *sinceramente* a corteggiare quella sua compagna di scuola. Lo fa, è vero, come se seguisse un piano doloroso: ma ciò è dovuto solo al suo segreto e inconfessabile orgasmo di timido, mascherato da un umorismo e da un'aria di certezza, da cui, del resto, anche volendolo, *non potrebbe* liberarsi.

I suoi compagni, tutti vestiti correttamente, malgrado una loro certa velleitarietà di fare un po' i teppisti, con delle facce che, commoventi o antipatiche che siano, sono segnate dalla precoce mancanza di ogni disinteresse e di ogni purezza — lasciano indietro, complici, la coppia. Così Pietro e la sua ragazza indugiano accanto a un cespuglio, bion-

do come di spighe — se è autunno — teneramente
trasparente — se è primavera — scherzando; poi
vanno a sedersi su una panchina appartata; si ab-
bracciano, si baciano; qualche passaggio di detestati
testimoni (un paralitico, per esempio, che passa nel
sole per lui nient'altro che consolatore) li interrompe proprio nei loro gesti più colpevoli (la mano di
lei vicina al grembo di lui, grembo tuttavia senza
alcuna violenza): ma essi sono nel loro diritto; e il
loro rapporto è, dopo tutto, sincero, simpatico e libero.

3 Altri dati (II)

Suonano le campane di mezzogiorno.

Anche Odetta, la sorella minore di Pietro, rincasa da scuola (l'istituto delle Marcelline). È dolcissima e inquietante, la povera Odetta; con una fronte che sembra una scatolina piena di intelligenza dolorosa, anzi, quasi, *di sapienza*.

Come i bambini dei poveri, che sono subito adulti, e sanno già tutto della vita, qualche volta anche i figli dei ricchi sono precoci — vecchi della vecchiezza della loro classe: vivono dunque, come una specie di malattia — ma con umorismo — analogo alla dolce allegria dei bambini poveri — una specie di codice non scritto, ma conosciuto istintivamente a memoria.

Odetta sembra intenta principalmente a nascondere tutto questo: sforzo che tuttavia non è coronato da successo, perché è proprio questo visibile sforzo la spia della sua vera anima. Se il suo viso è ovale e bello (con qualche lentiggine un po' convenzionalmente poetica), gli occhi grandi, con le ciglia lunghe, e il naso breve e preciso — la bocca, è invece una rivelazione quasi imbarazzante di quello che è realmente Odetta: non che sia brutta, questa bocca, anzi, è estremamente graziosa: eppure è un po' mostruosa, ecco: essa è così pronunciata e particolare che non si può fare a meno di notarla nemmeno per un istante, con quel labbro inferiore rientrante, come nelle bocche dei coniglietti o dei sorci: si tratta, in sostanza, della piega buffa dell'umorismo — ossia della consapevolezza dolorosa e mascherata del proprio nulla — senza del quale umorismo Odetta non potrebbe vivere.

Così, ora, per strada, rincasando contemporaneamente al fratello Pietro, Odetta ha tutti i caratteri esterni e comuni di una ragazzina molto ricca, cui dalla famiglia viene consentito (per un po' di snobismo) di vestirsi e di comportarsi in modo, diciamo, moderno (malgrado le Marcelline).

Anche Odetta ha un ragazzo che la corteggia: un molle e alto idolo della sua classe sociale e della sua razza. Anche intorno a loro due c'è il gruppo dei compagni e delle compagne, appena adolescenti che già si comportano del tutto naturalmente « alla maniera di », senza sospetto, riproduzioni perfette dei loro genitori.

I discorsi tra Odetta e il suo corteggiatore imberbe vertono un album di fotografie, che Odetta stringe gelosamente, insieme ai libri di scuola. Un album con la copertina di velluto, pieno di ghirigori liberty rosa e rossi. Questo album è tutto vuoto, ancora: evidentemente appena comprato in una cartoleria. Solo la prima pagina è inaugurata, da una grande fotografia: la fotografia del padre.

Il corteggiatore scherza un po' su questo album, come se egli ben sapesse che si tratta di una vecchia mania della ragazzina; quando egli però si fa solo un poco più audace, un solo gesto, una sola parola — presso una fontana di pietra scura, sotto file di alberelli che sembrano di metallo — Odetta scappa via.

La sua è una fuga elegante e bizzosa, del tutto inespressiva, ma che in realtà nasconde un terrore vero. E anche la sua frase, detta tra gli amichetti e le amichette, al corteggiatore, infiammato, che la insegue, « Non mi piacciono gli uomini », è detta con protervia ed elegante umorismo: eppure è chiaro che, in qualche modo, essa nasconde una verità.

4 Altri dati (III)

Come il lettore si è già certamente accorto, il nostro, più che un racconto, è quello che nelle scienze si chiama « referto »: esso è dunque molto informativo; perciò, tecnicamente, il suo aspetto, più che quello del « messaggio », è quello del « codice ». Inoltre esso non è realistico, ma è al contrario, emblematico... enigmatico... così che ogni notizia preliminare sull'identità dei personaggi, ha un valore puramente indicativo: serve alla concretezza, non alla sostanza delle cose.

Il lettore può immaginare Lucia, la madre di Pietro e Odetta, in un angolo sereno e segreto della casa — camera da letto, o *boudoir*, o salottino, o veranda — coi timidi riflessi del verde del giardino ecc. Ma Lucia non è lì in quanto angelo tutelare della casa, no; è lì in quanto donna annoiata. Ha trovato un libro, ha cominciato a leggerlo, e la lettura ora l'assorbe (è un libro, intelligente e raro, sulla vita degli animali). Così, essa aspetta l'ora di pranzo. Leggendo, un'onda dei capelli le casca sull'occhio (una preziosa onda, elaborata da un parrucchiere forse durante la stessa mattinata). Stando china, essa espone alla luce radente gli zigomi, alti e come vagamente consunti e mortuari — con un certo ardore da malata; l'occhio, ostinatamente abbassato, appare lungo, nero, vagamente cianotico e barbarico, forse per via della sua cupa liquidità.

Ma come essa si muove, alzando un momento gli occhi dal libro, per guardare l'ora a un suo piccolo orologio da polso (per farlo, deve alzare il braccio ed esporlo meglio alla luce), per un attimo, si ha l'impressione, fugace, e forse, in fondo, falsa, che essa abbia l'aria di una ragazza del popolo.

Comunque il suo destino di sedentaria, il suo culto per la bellezza (che è in lei, piuttosto, una funzione — che le spetta come in una divisione dei poteri), l'obbligo a una intelligenza illuminata su un fondo che resta istintivamente reazionario, l'ha forse, pian piano, irrigidita: ha reso anche lei un po' misteriosa, come il marito. E se anche in lei tale mistero è un po' povero di spessore e di sfumature, tuttavia è molto più sacro e immobile (benché dietro ad esso si dibatta forse una fragile Lucia, la bambina dei tempi economicamente meno felici).

Aggiungiamo che quando Emilia, la serva, viene ad avvertirla che è in tavola (riscomparendo subito, torva, dietro lo stipite della porta), Lucia, dopo essersi alzata pigramente, e avere gettato pigramente il libro nel posto meno adatto — magari lasciandolo cadere addirittura per terra —, si fa rapidamente, e come astrattamente, un segno di croce.

5 Altri dati (IV)

Anche questa scena e la seguente del racconto, il lettore deve leggerle come soltanto indicative. La descrizione non ne è quindi minuziosa e programmata nei dettagli, come in qualsiasi racconto tradizionale o semplicemente normale. Lo ripetiamo, questo non è un racconto realistico, è una parabola; e d'altronde non siamo entrati ancora nel cuore degli avvenimenti: siamo ancora all'enunciazione.

Approfittando di quel bel sole, la famiglia fa colazione all'aperto; i ragazzi sono appena tornati da scuola; il padre dalla fabbrica; ora sono tutti riuniti intorno alla tavola. Il quartiere residenziale consente loro la pace della campagna. Il giardino circonda l'intera casa. Il tavolo è stato messo in uno spiazzo sotto il sole, lontano dai cespugli e dai ciuffi d'alberi, la cui ombra è ancora un po' troppo fresca.

Al di là del giardino c'è la strada, o meglio un vialone — periferico, ma da periferia residenziale — che si intravede appena, coi tetti di altre case e palazzine, eleganti e rigidamente silenziose.

La famiglia sta pranzando, raccolta, ed Emilia la serve. Emilia è una ragazza senza età, che potrebbe avere otto anni come trentotto; un'alto-italiana povera; un'esclusa di razza bianca. (È molto probabile che venga da qualche paese della Bassa, non lontano da Milano, eppure ancora completamente contadino: magari dal Lodigiano stesso, dai posti che hanno dato i natali a una santa che probabilmente le somigliava, santa Maria Cabrini.)

Suona il campanello.

Emilia corre alla porta ad aprire. E, ad apparirle davanti agli occhi è l'Angiolino, quello che possiamo considerare come il settimo personaggio del nostro racconto, o per dir meglio, una specie di jolly. Tutto infatti in lui ha un'aria magica: i ricci fitti e assurdi, che gli cadono fin sugli occhi come a un can barbone, la faccia buffa, coperta di foruncoli, e gli occhi a mezzaluna, carichi di una riserva senza fine di allegria. Si tratta del postino. Ed è lì, davanti all'Emilia, una sua pari che tuttavia *non apprezza nulla in lui*, con un telegramma in mano. Ma, invece di darle il telegramma, la interroga, illuminato da un sorriso straripante e dolce come lo zucchero, facendo l'occhietto, e indicando col capo verso il giardino dove i padroni stanno mangiando. Poi piantando Emilia, chiusa nella sua barriera di silenzio, corre all'angolo della villa; e da lì spia verso coloro che compiono il rito del pranzo dei ricchi, cercando con gli occhi Odetta (che egli corteggia per pura spensieratezza). Infine, dimenticandosi, con la stessa rapidità con cui se ne era ricordato, di Odetta e di tutto, torna complice da Emilia, e, fatte due allegre boccacce anche a lei (che include nella sua corte a Odetta), le consegna finalmente il telegramma — e se ne va, correndo con comica fretta senza ansia verso l'uscita.

Emilia porta il telegramma alla famiglia, che continua a mangiare silenziosa al sole. Il padre alza gli occhi dal giornale borghese che sta leggendo, e apre il telegramma, dove c'è scritto: « SARÒ DA VOI DOMANI » (il pollice del padre copre il nome del firmatario). Evidentemente tutti ormai l'attendevano, quel telegramma, e la curiosità era già stata quindi superata prima della conferma: così continuano indifferenti la loro colazione all'aperto.

6 Fine dell'enunciazione

L'interno della casa della nostra famiglia è tutto illuminato, benché sia l'ora del tè, e il lungo tramonto mandi ancora la sua luce, carica del silenzio dei pioppeti e dei prati, piatti e verdi, gonfi di acqua. Essendo probabilmente domenica, si dà una piccola festa, i cui invitati sono quasi tutti ragazzi. Ossia compagni di scuola di Pietro e Odetta.

Ma ci sono anche delle signore, le madri di questi ragazzi. Nella confusione (che in questi casi ha sempre un'aria elegiaca, perché le persone perdono il misero, e spesso odioso, peso della loro persona, sfaldandosi nella dolcezza dell'atmosfera — di quell'atmosfera di luce elettrica e luce solare che viene dalla Bassa) fa la sua apparizione, ora, il personaggio nuovo e straordinario del nostro racconto.

Straordinario prima di tutto per bellezza: una bellezza così eccezionale, da riuscire quasi di scandaloso contrasto con tutti gli altri presenti. Anche osservandolo bene, infatti, lo si direbbe uno straniero, non solo per la sua alta statura e il colore azzurro dei suoi occhi, ma perché è così completamente privo di mediocrità, di riconoscibilità e di volgarità, da non poterlo nemmeno pensare come un ragazzo appartenente a una famiglia piccolo borghese italiana. Non si potrebbe neanche dire, d'altra parte, che egli abbia la sensualità innocente e la grazia di un ragazzo del popolo... Egli è insomma socialmente misterioso, benché leghi perfettamente con tutti gli altri che stanno intorno a lui, in quel salone magicamente illuminato dal sole.

La sua presenza lì, in quella festa assolutamente normale, è, dunque, quasi di scandalo: ma di uno scandalo ancora piacevole e carico di benevola sospensione. La sua diversità consiste, in fondo, soltanto nella sua bellezza. E tutti, le signore e le ragazze, lo osservano — senza, naturalmente, mostrarlo troppo, ben conoscendo ognuno, lì dentro, la principale regola del gioco, che consiste nel non scoprirsi mai, a nessun patto.

Dentro i limiti della più disimpegnata discrezione, quindi, qualche amica di Odetta, o qualche amica giovane della madre, chiedono chi è quel bel ragazzo nuovo. Ma Odetta alza le spalle. E Lucia si limita a qualche informazione altrettanto disimpegnata, se non a un puro e semplice sorriso. Insomma, di lui non sapremo niente; e del resto non è necessario saperlo. Lasceremo dunque incompleto e sospeso quest'ultimo dato della nostra enunciazione.

È un pomeriggio di primavera inoltrata (o, data la natura ambigua della storia, di primo autunno), un pomeriggio silenzioso. Si sentono appena i rumori — molto lontani — della città.

Un sole di sbieco illumina il giardino. La casa è straniata nel silenzio; probabilmente sono usciti tutti. Nel giardino è rimasto soltanto il giovane ospite. Sta seduto su una sedia a sdraio o su una poltrona di vimini. Legge — con la testa in ombra e il corpo al sole.

Come vedremo meglio fra un po' — quando, seguendo gli sguardi che lo guardano — gli saremo vicini, nei dettagli del suo corpo al sole — egli sta leggendo delle dispense di medicina o di ingegneria.

Il silenzio del giardino nella pace profonda di quel sole impartecipe e consolante, coi primi gerani che spuntano (oppure con le prime foglie dei melograni che cadono), è rotto da un rumore fastidioso, monotono e eccessivo: si tratta della piccola falciatrice meccanica che cigola muovendosi su e giù per il prato, ricominciando ogni volta uguale, senza interruzione, il suo incerto stridore.

A spingere avanti e indietro la falciatrice in quel modo è Emilia.

Essa è in un angolo del giardino, in fondo a un prato liscio, piatto, d'un verdecupo che quasi accieca, mentre il giovane è in un altro angolo, presso la casa, sotto un pergolato di edera.

Ogni tanto il rumore ossessivo della falciatrice si interrompe: ed Emilia sta ferma, dritta per qualche istante. Essa guarda insistente verso il giovane con uno sguardo molto strano, come di chi non ha coraggio di guardare e nel tempo stesso è tanto incosciente da non provare vergogna per la propria insistenza. Anzi, il suo sguardo quasi quasi si adombra, come se a essere offesa da quell'insistenza indiscreta fosse proprio lei.

Per quanto tempo Emilia continua a andare su e giù con la falciatrice, a fermarsi e a guardare, per poi riprendere ad andare su e giù, curva e sudata? E per quanto tempo, inconsapevole non solo di lei, ma anche di ignorarla, il giovane continua a leggere le sue dispense? Per molto tempo, forse per tutta la mattinata — ossia per la breve mattinata del giorno delle case ricche, dove le dieci sono un'ora quasi antelucana. Il sole si alza sempre di più nel cielo sgombro, fino a diventare cocente — in un'arida pace estiva.

Emilia continua a spingere, follemente, goffamente, la falciatrice (e, oltre tutto, questo non dovrebbe essere neanche affar suo, ma del giardiniere. Si è arrogata da tempo lei l'incombenza del prato, per una specie di rivalità col giardiniere stesso, poiché essa è figlia di contadini, e viene direttamente dalla campagna).

Il giovane non si accorge dunque di essere guardato, completamente e quasi innocentemente immerso nel suo studio — che davanti agli occhi di Emilia è un privilegio quasi sacro. Tanto più che ora, anziché le dispense — forse per riposarsi un poco — sta leggendo un piccolo volume in edizione economica delle poesie di Rimbaud. E questa lettura lo prende ancora di più che la precedente.

Dapprima lo sguardo della serva che si ferma a guardarlo, è un rapido sguardo fugace, che non può afferrare, quindi, che l'intera figura dell'ospite, con la testa in ombra e il corpo al sole.

Ma poi il suo occhio si aguzza, e sosta più a lungo su quel suo oggetto lontano e senza reazioni: mentre si passa l'avambraccio sulla fronte per asciugarne il sudore, esplora torva i dettagli del corpo che gli si offre laggiù così intero e inconsapevole.

Piano piano, così, i suoi gesti — che sembrano ossessivi soltanto per una loro meccanicità di semplice — diventano ossessivi in modo esplicito e quasi ostentato.

Cioè, quell'andare su e giù nell'umile funzione del tagliare l'erba, perde la sua naturalezza, il suo essere fatica di ogni giorno, e diventa quasi la forma esterna di una oscura intenzione.

Difatti, quel suo guardare continuamente l'ospite, comincia ad avere qualcosa di sospetto e di folle. Tanto che, alla fine — come se non potesse resistere più (ma l'ospite ancora non se ne accorge, immerso nella sua lettura — e, d'altra parte, socialmente, spiritualmente così lontano da lei), Emilia — teatralmente — lascia la falciatrice in mezzo al prato ed entra quasi correndo in casa.

Passa attraverso il soggiorno, la cucina, ed entra nella sua cameretta, piccola come una cella, coi lussi a lei concessi dai padroni e con le sue povere cose colorate. E qui comincia a compiere dei gesti, che sembrerebbero normali, ma che in realtà, per la frenesia e l'inopportunità con cui sono compiuti, appaiono assurdi. Si pettina. Si leva gli orecchini. Prega (una breve preghiera tra bigotta ed estatica). Poi si riscuote, dopo aver baciato e ribaciato un suo santino col Sacro Cuore; ed esce. Torna, sempre teatralmente, nel giardino, alla sua falciatrice.

Ed ecco che ricomincia quel suo cerimoniale ossessivo, con la falciatrice su e giù per l'erba, sempre con l'occhio torbido e innocente che esplora il corpo del giovane.

Un po' alla volta la contemplazione di quel corpo diventa insostenibile. Ed essa si rivolta inferocita contro la propria tentazione.

Torna a scappare, ma questa volta in maniera ancora più clamorosa: ossia piangendo e quasi urlando, come presa da un attacco d'isteria.

Calpesta l'erba del giardino, come una pecora matta, rientra affannosamente in casa.

Riattraversa il soggiorno, si precipita dentro la cucina, e, con un gesto violento ma un po' sognante e idiota, stacca il tubo del gas, come se volesse addirittura ammazzarsi.

Il giovane, stavolta, per forza di cose, ha dovuto accorgersi di lei, e interessarsene. Non può non aver sentito quel pianto e quei singhiozzi pazzi, non può non aver intravisto la fuga della donna, che chiaramente pretendeva di essere guardata e presa in considerazione da lui. Quindi la segue quasi correndo, come lei, e la raggiunge nella cucina. Qui la vede, appunto, compiere quei suoi gesti esaltati di pazza protesta. La soccorre. Le strappa il tubo del gas dalle mani, cerca di animarla, di confortarla, di trovar modo di interrompere quel seguito inconsulto di dolore che non riconosce più nulla.

La trascina nella sua stanzetta e la distende sul letto: la distende, mentre già Emilia comincia ad agitarsi e a sospirare con meno folle affanno e a mostrare il desiderio di essere calmata e consolata.

In tutto questo — nel rialzarla, nel parlarle, nel distenderla in quella triste cuccia — il giovane ospite ha un'aria stranamente protettrice, quasi materna; come di una madre che conoscesse già i capricci del suo bambino, e li prevedesse, in una specie di amorevole coscienza.

C'è anche un sottile filo d'ironia in quel suo modo di fare con lei, in quella sua pazienza senza meraviglia. È come se la follia della donna, la sua debolezza, l'improvviso crollo di ogni resistenza e quindi di ogni dignità — il crollo di tutto il mondo dei doveri — suscitasse in lui niente altro che una specie di compassione amorevole — appunto: di delicata attenzione materna.

Questo suo atteggiamento e questa sua espressione degli occhi che sembrano dire « Non è nulla di grave! », si accentuano ancora di più, quando Emilia (lusingata dalle sue tenerezze e dalle sue carezze — e ciecamente obbediente al suo istinto ormai senza più ritegni) quasi meccanicamente, in una specie di ispirazione più mistica che isterica, si tira su, fin sopra le ginocchia, la sottana.

Questo sembra essere l'unico modo che essa ha, priva di coscienza e di parole, e ormai, di pudore, di dichiararsi; di offrire qualcosa, come una supplice, al ragazzo. E appunto perché enorme, tutto ciò ha una purezza e una umiltà d'animale.

Il ragazzo, allora — sempre con materna aria protettrice e dolcemente ironica — le ritira un po' giù la sottana, come per difendere quel pudore che lei ha dimenticato, e che è invece tutto per lei. Poi le fa una carezza sul viso.

Emilia piange di vergogna: se pure non si tratta di quella particolare specie di pianto che è lo sfogo che giunge, infantile, quando la crisi sta già placandosi, consolata.

Lui le asciuga, con le dita, le lacrime.

Lei bacia quelle dita — che l'accarezzano — col rispetto e l'umiltà di una cagna o di una figlia che bacia le mani al padre.

Nulla ostacola il loro amore: e il giovane si distende sopra il corpo della donna, prestandosi al suo desiderio di essere posseduta da lui.

8 Miseria degradante del proprio corpo nudo e potenza rivelatrice del corpo nudo del compagno

Nel piccolo viale bianco, in mezzo al prato verde della villa, verso l'uscita, stanno arrivando delle persone lievi ed eleganti: una signora dell'età di Lucia, delle ragazze, forse delle figlie: e tante valigie, e borse, tutte di oscuri cuoi preziosi. L'aria tenebrosa, su cui splende un sole filtrato forse da nebbie lontane — dà a quell'arrivo un'aria sospesa e irreale: che è contraddetta, tuttavia, dai gridi ingenui e dalle esagerate manifestazioni di gioia, che anche le persone ricche e bene educate si concedono in certe occasioni. A ricevere quegli ospiti pieni di valigie, sono Lucia (che è quasi disincarnata nella sua severa eleganza) e i figli. Tutti entrano — dall'aria stralunata dell'esterno, con quell'aiuola troppo verde — all'aria ben riparata dell'interno, attraverso le piccole, scintillanti vetrate della villa.

Risultato di questo arrivo, è che dopo un poco — o la sera — Emilia viene, piegata in due dal peso di una grossa valigia (di uomo), nella camera di Pietro. Qui posa la valigia (con delicatezza venerante, perché è quella dell'ospite), e, devotamente, se ne va.

L'ospite e il figlio dormono dunque nella stessa camera. E la sera, vi entrano insieme.

La camera di Pietro è quella di un ragazzo che

comincia a diventare giovane. Ha ancora un po' i caratteri fantasiosi della camera di un bambino primogenito borghese (è arredata, cioè, col gusto che le madri attribuiscono ai propri figli — per cui si modernizzano attraverso loro, e il nido dei sogni infantili diventa una citazione di pittori fauves, di fumetti e di eroi americani per l'infanzia). Nel tempo stesso, però, la camera — trasformandosi con l'età del figlio — non è più quella di un bambino, ma quella di un giovane, sovrapposta alla precedente, così come due diversi stili si sovrappongono nella facciata di una stessa chiesa. Il nuovo stile è molto asciutto ed elegante, senza superfluità, anche se i due o tre mobili sono di antiquariato.

I letti, naturalmente, sono due: uno è un vero e proprio letto d'ottone, elegante, probabilmente scelto dalla madre; l'altro, invece, è un divano-letto, anch'esso naturalmente molto elegante (anzi, un po' impreziosito dalla necessità di essere mascherato).

I due ragazzi, il giovane e il giovanetto, vanno dunque insieme a dormire, taciturni e forse un po' stanchi.

(Questa sera è precedente o seguente al giorno in cui è accaduto il fatto dell'Emilia? Può essere precedente o seguente: ciò non ha alcuna importanza.)

I due entrano dunque nella camera. Forse è tardi, forse sono assonnati o forse il silenzio è dovuto — e questa è l'ipotesi più probabile — al pudore che, non senza un sentimento strano e sgradevole da parte di Pietro, essi provano, quando entrano insieme in camera e vi si spogliano per coricarsi.

Infatti, mentre il ragazzo ospite — forse più esperto, e, insomma, più adulto — si muove con una certa disinvoltura, l'altro invece sembra imbarazzato e impedito nei movimenti da qualcosa che lo rende eccessivamente concentrato, annoiato, legnoso. Il giovane ospite si spoglia, come è naturale, davanti al ragazzo: fino a rimanere del tutto nudo senza nessun timore, senza nessun particolare sentimento di vergogna, come avviene, o dovrebbe avvenire, nella maggior parte dei casi, tra due giovani dello stesso sesso, e circa della stessa età.

Pietro, lo ripetiamo, prova visibilmente un pudore profondo e innaturale, che potrebbe essere anche spiegabile (essendo egli più piccolo) e potrebbe essere anzi fonte di maggior grazia in lui, se fosse preso almeno con un po' di umorismo e un po' di rabbia. Invece Pietro ne è incupito. Il suo pallore diviene più squallido, la serietà dei suoi occhi bruni si fa come meschina e un po' miserabile.

Per spogliarsi e mettersi il pigiama, si distende sotto il lenzuolo, compiendo con molta difficoltà quell'operazione tanto facile.

Prima di addormentarsi i due ragazzi si scambiano poche semplici parole: poi si danno la buona notte, e ognuno resta solo nel suo letto.

Il giovane ospite — pieno di quella sua serenità che tuttavia non ferisce chi ne è privo — si addormenta del sonno misterioso delle persone sane. Invece, Pietro non riesce ad addormentarsi; rimane con gli occhi aperti, si gira sotto le lenzuola: fa tutto ciò che fa chi soffre di un'insonnia stupida, umiliante come una ingiusta punizione.

Passa qualche tempo?

Nel cuore della notte Pietro è ancora sveglio, ancora preso da quel suo pensiero che non lo fa dormire, e che probabilmente è a lui stesso indecifrabile.

Improvvisamente, si alza. E, piano piano, per paura che l'ospite si risvegli, anzi, terrorizzato da questa idea, bianco per l'ansia, e tremante per la paura di essere colto in quella sua azione — fa qualche passo nella stanza, va vicino all'ospite e ne osserva a lungo il viso, le braccia, il petto scoperto. Contempla quel suo sonno tranquillo, virile e caldo. Rimane così, perduto e straniato, in quella contemplazione.

Nel giardino stanno seduti, intorno a un tavolo dove ondeggia una tovaglia bianca con lunghi fiori rosa o appena arancione — il giovane ospite, Lucia e Odetta.

Il giardino, molto grande, coi suoi prati verdi all'inglese, l'ingresso della casa e la strada sottostante sono su un solo piano, un ambiente unico alla stessa altezza.

Davanti al giardino si stende a perdita d'occhio, a sinistra, l'ultima, nebulosa periferia con muraglie di fabbriche bianche e diafane come garza, e a destra, la strada con le sue ville e le sue palazzine dure, oblique, silenti.

C'è intorno una pace muta, dove aleggiano dei suoni pieni di vitalità e di profonda, intima dolcezza.

In questo meriggiare silenzioso dell'ospite con Lucia e Odetta — che non parlano, o non si scambiano che le parole banali che vogliono dire altre cose, oscure e forse inesprimibili — arriva inaspettato, eseguendo una specie di « a solo », un po' assurdo — e certamente arbitrario — il postino coi ricci, tra innocente e sfacciato, come miracolosamente mandato lì dalla città lontana. Viene a portare la posta del pomeriggio, fatta tutta di buste aperte e di stampe, che nessuno aspetta e che nessuno apre.

Viene dalla parte del vialone con le sue conifere sfumate, varca il cancello del giardino, avanza apparendo e scomparendo dietro la siepe, entra dentro la porta della villa.

È ben noto in casa che egli fa una specie di corte a Odetta: una corte innocente, fatta tanto per essere fatta, per istinto, per magia: tutti lo sanno e tutti si divertono: è una piccola tradizione pomeridiana.

I suoi occhi ridenti a mezzaluna, passano tra le foglie rade (perché rose dall'autunno o perché ancora in gemma), e comunicano pura e semplice felicità.

Eccolo che si presenta alla porta, suona, dice qualche battuta muta all'Emilia che lo disapprova in tutto, ed è uscita ad accoglierlo cattiva, con gli occhi bassi — e quindi se ne va, cantando — dimenticandosi di guardare anche verso Odetta, come attratto dal sole dell'esistenza quotidiana che splende sulla lontana città.

11 La designazione di se stesso
come strumento di scandalo

Forse è ancora la stessa notte in cui abbiamo lasciato Pietro in contemplazione dell'ospite dormente. (Lo sottolineiamo per l'ultima volta, i fatti di questa storia sono compresenti e contemporanei.)

Pietro è ora disteso nel suo letto, ma non dorme ancora. È tenuto sveglio dal suo pensiero febbrile... È un uomo che lotta: cerca di chiarire a se stesso ciò che lo sconvolge con tanta inaspettata brutalità.

A un tratto, ecco che quasi bruscamente, si alza, trascinato dalla forza misteriosa che è nata quella notte dentro di lui. Si alza, o meglio, si rialza. E tremando si riavvicina al letto in cui l'ospite dorme.

L'abbiamo detto: Pietro ha tutti i caratteri della psicologia e anche della bellezza borghese. È piuttosto pallido, e si direbbe che la sua buona salute sia dovuta solo al fatto che egli conduce una vita molto igienica: fa della ginnastica e dello sport. Ma quel pallore ha in lui qualcosa di ereditario — o, meglio, d'impersonale. Qualcos'altro — l'umanità, il mondo, la sua classe sociale — è pallido in lui.

I suoi occhi sono molto intelligenti: ma la sua è una intelligenza come resa impura da una malattia intellettuale, di cui egli certamente non si rende conto, risarcito com'è dalla sicurezza che gli offre, nel capire e nell'agire, la sua nascita.

Perciò c'è un ostacolo iniziale che gli impedisce fatalmente di comprendere e soprattutto di ammettere quello che gli sta succedendo. Per poter esercitare, realmente o realisticamente, la sua intelligenza, egli dovrebbe essere rifatto tutto daccapo. La sua classe sociale vive la sua vera vita in lui. Non dunque comprendendo o ammettendo, ma solo agendo, egli potrà afferrare la realtà che gli è sottratta dalla sua ragione borghese; solo agendo, come in sogno; o meglio, agendo prima di decidere.

Adesso è lì che trema di fronte al letto dell'ospite. E, appunto come obbedendo a un impulso più forte di lui (e che pure viene da dentro di lui) — lo stesso impulso che l'ha fatto uscire dal letto — egli ora compie un atto che, fino a qualche momento prima, non si sarebbe nemmeno sognato di poter compiere o, piuttosto, di voler compiere.

Piano piano egli tira giù la leggera coperta posata sul corpo nudo dell'ospite, facendola scivolare lungo le sue membra. La mano gli trema, e gli esce quasi un gemito dalla gola.

Ma a quel gesto, che lo scopre fino al ventre, l'ospite di colpo si risveglia. Guarda il ragazzo curvo che compie su lui un atto così assurdo, e subito i suoi occhi si riempiono di quella luce che già gli conosciamo... di quella luce di padre pieno di una confidenza materna... che insieme è comprensiva e dolcemente ironica.

Pietro alza gli occhi dal ventre, già scoperto fino alla prima peluria del grembo, e incontra quello sguardo. Non fa in tempo a comprenderlo: la vergogna e il terrore lo accecano. Piangendo e nascondendosi il viso, va a gettarsi sul suo letto e si rintana con la testa contro il cuscino.

L'ospite si alza, allora, e va a sedersi sul bordo del letto di Pietro: sta lì un poco immobile a guardare quella nuca scossa dai singhiozzi, poi — col cameratismo di un coetaneo — l'accarezza.

12 Nient'altro che un adulterio?

L'ospite è laggiù, lontano, solo, tra le piante palustri, contro le macchie dei boschi cedui appena ingemmati.

Ma fa già un caldo di primavera inoltrata: e ci si comincia a ricordare dei profondi silenzi e delle ardenti e piacevoli ore pomeridiane dell'estate. Vengono in mente, anche, i pomeriggi antichi, di secoli passati (una campana, appena percettibile, ma netta, suona mezzogiorno): le ramaglie ancora secche, o appena venate del verde delle prime foglioline, sul ruggine, sul sanguigno e sul triste giallo, sono come una lanugine, è vero: ma tuttavia si sente che esse sono la natura, non rappresentata, ma supposta, dietro le scene di pietra dei battisteri romanici, figurazioni massicce e potenti di una vita quotidiana, vissuta lungo gli affluenti del Po, e, appunto, scaldata da un simile sole e circondata da simili fragili e lattiginose boschine.

Il giovane ospite è seminudo: corre, giocando con un amico cane, lungo la riva di una specie di stagno, intensamente verde: una « lanca » lungo il corso del Ticino. È festoso, forte e allegro come un ragazzo, mentre corre avanti e indietro, o si tuffa nell'acqua, con una canna in mano, cosa che fa impazzire di gioia quel suo amico cane.

A guardare l'ospite che gioca laggiù in fondo a uno scoscendimento che dà sul bosco, è Lucia. Essa è seduta in cima a una specie di argine, e ha alle spalle un prato assolato, sul cui fondo, piantato su eleganti palafitte, sorge un grande chalet. Da lassù — ben lontana da ogni sguardo di estranei, a causa della lussuosa selvatichezza del posto — Lucia resta a guardare per molto tempo, inespressiva, il ragazzo che gioca. Inespressiva come chi sta facendo intensamente, dentro di sé, dei difficili calcoli, che tuttavia, da una certa luce degli occhi, è chiaro che stanno per essere risolti. Il risultato di questi calcoli per ora, è che essa attraversa il prato e rientra lentamente all'interno dello chalet.

Lì, nella penombra, si guarda attenta intorno. C'è una piccola alcova, con una grossa tenda divisoria. La ricca famiglia milanese ha voluto avere lì, in quel posto, una casa quasi vuota; uno spazio elegante dove accamparsi quasi con scomodità. La tenda è aperta e si intravede, in un angolo, un lettino, con delle grosse coperte scure. Sopra le coperte scure, risaltano quindi, nel riverbero che passa attraverso le imposte, gli indumenti del ragazzo: indumenti estivi, quasi tutti chiari.

Lucia sta lì a osservarli a lungo, con dentro gli occhi quel suo pensare rapido e complicato, che la prende tutta: come prima davanti al ragazzo che giocava nella boschina.

Poi, piano piano, con calma — e quella certa luce dell'occhio, che altro non pare che il risultato finale e positivo di un calcolo tranquillo — si avvicina agli indumenti che biancheggiano quasi con violenza, sparsi a caso sul letto. Si accuccia, si inginocchia davanti ad essi.

C'è la maglietta o la camicia del giovane, la sua canottiera; ci sono le sue scarpe, il suo orologio, i suoi slip, i suoi calzoni.

Lucia li osserva.

I panni sono lì, innocenti sotto il suo sguardo, come abbandonati.

Osservarli è molto facile, perché essi non oppongono alcuna resistenza: anzi si offrono quasi con troppa e indifesa umiltà.

Gli slip sono arrotolati come uno straccetto; i calzoni stanno divaricati sulla coperta ruvida, come fossero indossati da un uomo con le gambe aperte, ma profondamente addormentato; la canottiera è d'un biancore quasi innaturale, troppo puro. Quei panni sembrano quasi, infine, le reliquie di qualcuno che se ne sia andato via per sempre.

Forse è a questo pensiero — « egli se ne è andato per sempre e i suoi indumenti superstiti sono qui a testimoniarlo » — che Lucia si sente stringere il cuore, e non trattiene il gesto con cui se lo comprime, o la smorfia di dolore che le contrae la bocca (come per una specie di nostalgia: nostalgia per qualcosa che si è perduto senza avere avuto).

O forse quel suo insistente contemplare quegli oggetti insignificanti, è per lei una specie di rivelazione. Per cui essa comprende d'improvviso chi è realmente — adesso che egli non è presente — colui che li usa, che li ha scaldati col calore naturale del suo corpo, e che ora pare averli abbandonati lì, senza intenzione, a testimoniarlo.

Piano piano gli occhi di Lucia perdono quella loro indifferenza contemplativa, e si riempiono di tenerezza. Quelli, è vero, sono gli indumenti di un giovane che potrebbe essere suo figlio: la tenerezza che suscitano in lei è dunque una specie di feticismo materno.

Li prende in mano, li contempla, e, forse, li accarezza: la sua mano passa, con naturalezza impudica, anche su quei punti degli indumenti su cui non potrebbero mai passare quando sono indossati. Ripete quei gesti molte volte, senza perdere la sua dignità, come una madre che cura le ferite del figlio. Ma quei gesti, ripetuti, la trascinano piano piano fuori di sé. Ora è come Pietro, posseduta da un sogno nato dentro di lei, senza essere capito ed ammesso. *Per realizzarlo deve dunque anche lei agire prima di decidere...* Esce di nuovo sulla porta. Guarda di nuovo il ragazzo, che corre laggiù, tra le ramaglie che per la troppa luce hanno perso ogni colore.

Si sente forte, nel silenzio del mezzogiorno, l'abbaiare lieto di Barbìn, il cane.

La donna guarda il ragazzo lontano, e il suo sguardo si fa sempre più smarrito: ora non è più un calcolo che vortica dentro di lei, ma, si direbbe, una preghiera. Come un automa, gira su se stessa, sale la scaletta esterna, e arriva sul terrazzino che è sopra lo chalet. Qui si distende — sul pavimento di legno scuro — come certo ha ogni giorno l'abitudine di fare: ma non riesce a stare lì distesa, schiacciata tra il nudo pavimento e l'impossibile cielo. Si rialza, in ginocchio, si sporge dal parapetto guardando di nuovo laggiù, tra la boscaglia, verso il ragazzo.

Lui è sempre là, inattingibile, che gioca, che nuota, che corre fra i tronchi e i cespugli.

Lucia, allora, ecco che lentamente si sfila il costume e rimane nuda sul terrazzino, dietro il piccolo parapetto. Anche il rimanere nuda lassù, ad anticipare i bagni di sole, è probabilmente per lei un'abitudine di tutti i giorni. E così, nuda, continua a guardare il giovane che ancora non se ne accorge, frastornato dal suo correre nella luce accecante.

Finché viene il momento che egli si stanca dei suoi giochi e del suo bagno, e si muove verso lo chalet, ma piano piano, sempre scherzando con l'amico cane. È chiaro che la sua intenzione è di rientrare e di stare nuovamente un po' con lei — chiacchierare, o leggere insieme ognuno un suo libro.

Con un rapido gesto, quasi sgarbato, Lucia afferra allora il costume, come per infilarselo. Ma poi, quella certa luce d'un calcolo appena divinato le torna negli occhi fissi sulle mattonelle rosse del terrazzino: la decisione di rimanere nuda, e di mostrarsi nuda a lui, era già presa: con la stessa ingenuità quasi isterica e l'acquiescenza di bestia insensibile che avevano dominato la determinazione di Emilia, o quella di Pietro, qualche giorno prima (o dopo).

Naturalmente, a differenza di Emilia, essa combatte contro questa determinazione: il pudore e la vergogna — che la sua classe sociale vive in lei — stanno per riprendere il naturale sopravvento; e allora essa deve lottare contro quel pudore e quella vergogna. E ancora una volta, per vincere gli ostacoli della sua educazione e del suo mondo, deve agire prima di capire.

Improvvisamente, stringe in pugno il costume, si alza e lo getta giù, fuori dal parapetto della terrazzina, dall'altra parte dello stagno, verso la boscaglia. Lo guarda, là in fondo, tra erba e rovi, irrecuperabile: il suo stare là è profondamente significativo, la sua perdita e la sua inerzia hanno la violenza espressiva che hanno gli oggetti nei sogni.

Ora Lucia è nuda: *si è costretta ad esserlo*. Non può avere più pentimenti o ripensamenti. Si volta: il ragazzo è ormai sulla terra cosparsa di ciuffi d'erba sotto lo chalet. Lei lo vede. Lo vede entrare nello chalet, e poi lo vede riuscire, guardarsi intorno, chiamarla.

Come una martire, sporgendosi appena dal parapetto Lucia gli grida: « Sono qui! » Egli si volta, le sorride, con tutta l'innocenza e la normalità della sua giovinezza: e sale agile la scaletta che porta sul terrazzino. Compare così contro cielo con i suoi occhi che la guardano subito.

Lucia regge per un istante quello sguardo, invocato, voluto: ma non più che un istante.

Il meccanismo che lei stessa ha messo in moto, le consente di vergognarsi davanti a lui. Corre a rannicchiarsi contro il parapetto, nascondendosi il grembo con le ginocchia e il seno con le braccia.

Il piacere di essersi fatta violare da quello sguardo, di essersi volontariamente perduta e degradata, coincide con una vergogna che può essere casuale e legittima: quella di essere stata colta di sorpresa, mentre innocente faceva il suo bagno di sole sulla terrazza. Ella recita questa parte, diligente e accanita come una bambina: ma la recita, coscientemente, male. Infatti ha capito che se mostra una vergogna eccessiva, vera, di innocente colta di sorpresa, l'ospite potrebbe distogliere quel suo sguardo divinamente degradante da lei, e forse andarsene chiedendo scusa. Alla vergogna vera che prova — e che la soffoca — e a quella falsa che finge, deve aggiungere quindi, come può, una civetteria che ha ben presto la quasi lacrimante goffaggine e la torbida impudicizia di un invito: un sorriso ridicolmente infernale negli occhi smarriti, che presto perdono ogni finzione, e si incollano disperati sul giovane.

Ma egli... ha quel suo sguardo naturale, comprensivo, velato forse appena un po' di ironia, e insieme di una grande, dolce, protettrice forza di genitore. Si avvicina a lei che si schiaccia sempre più contro il parapetto, nascondendosi e abbassando la testa. Si china su di lei e l'accarezza sui capelli: e, sotto quella carezza, Lucia osa alzare gli occhi su di lui, pieni di uno sguardo deplorevolmente mendico.

13 Dove comincia la nuova iniziazione
di un ragazzo borghese

Nella camera di Pietro, il giovane ospite, accanto a Pietro, sfoglia un grosso libro dalle tricromie splendenti alla luce del pomeriggio, che batte potente sulle pagine patinate. Pietro guarda quelle riproduzioni a colori di una pittura che egli non conosce e che, magari fino allora, per influenza, forse, del suo insegnante di storia dell'Arte del Parini, aveva ignorato o disapprovato. (C'è infatti nei suoi occhi l'attenzione di chi scopre qualcosa, dopo una prima diffidenza, quasi con gratitudine.)

Il quadro che i due ragazzi hanno sotto gli occhi, è fortemente colorato — di colori puri: osservandolo meglio, è come un reticolato di contorni, che lasciano delle superfici libere, triangoli e rettangoli rotondeggianti (come distesi, cioè, su una superficie curva): è su queste superfici libere che sono distesi quei colori puri; blu di prussia e rossi; puri ma estremamente discreti, quasi in sordina; quasi velati da una patina di vecchio. La carta da disegno su cui quegli acquerelli o quelle tempere sono distesi — con ricchezza e profondità costruttiva di olii, però — è infatti ingiallita; poveramente ingiallita; pare di sentirvi l'odore di vecchio, di stantio, di biblioteca. Benché così assurdo, libero, acceso, il quadro è profondamente severo, e i suoi colori puri

47

non sono quelli dei fauves. Che quadro è? La data va certamente compresa tra il 1910 e il 1920. Non appartiene alla civiltà del cubismo, civiltà sontuosa. Esso è magro, estremamente magro. Forse è futurismo; ma non certo quello dinamico e sensuale italiano. Qualcosa di ingenuo e di popolare, ossia di infantile, potrebbe far pensare al futurismo russo, a qualche pittore minore amico di Ejzenštejn, di Šklovskij o di Jakobson, che operasse tra Mosca e Pietroburgo; o forse a Praga, come Kubista. No, ecco la firma; Lewis: un amico di Pound, un americano degli anni dell'imagismo. Un quadro grafico, con superfici colorate, costruito come una perfetta macchina, e così rigoroso da aver ridotto la pittura all'osso.

Quasi insieme, Pietro e il giovane ospite, distolgono gli occhi dalla riproduzione del quadro, e si guardano fra loro: in quel loro misterioso rapporto, nato la notte...

Ma la loro solitudine è interrotta da alcune voci che chiamano dall'esterno: voci di ragazzi fresche e giovanili, un poco volgari.

Pietro e l'ospite si distolgono dal calore dei loro corpi seduti uno accanto all'altro, con sulle ginocchia il libro galeotto, ed escono nel giardino. Si affacciano al parapetto che dà sulla strada, e vedono un gruppo di amici e di compagni di scuola di Pietro.

« Eccoci, veniamo! » gridano; e lungo il giardino vanno quasi di corsa a raggiungerli al cancello.

14 Rieducazione al disordine
e alla disobbedienza

I due ragazzi, Pietro e l'ospite, insieme con gli altri ragazzi, gli amici di scuola di Pietro (modelli della vita del Parini), stanno giocando a pallone in un campo di calcio. C'è nell'aria il massimo della limpidezza lombarda (e addirittura un suono di vecchie campane dei paesi settentrionali). La vita pare non avere inciampi, ostacoli, noie, cattiverie. Scivola via in quel sereno come l'olio. È la vita del giovane Pietro.

Come presi da un'inconscia euforia, egli e i suoi amici giocano senza impegno a una porta. La gioia è quella del gioco per il gioco: anche quelli che non hanno nessuna qualità di giocatori, godono di certe facili bravure, in cui consumano quella mattina della loro gioventù.

Come qualche volta succede, Pietro, così ricco di famiglia, non ha avuto i soldi necessari ad equipaggiarsi nel modo migliore per giocare a pallone: ha addosso le mutandine e la maglietta che si comprano nei magazzini popolari, e le scarpe da pallone (dev'essere per lui una tradizione) gli fanno male, per qualche chiodo spuntato dalle suole. Va così a finire, che, zoppicando e un po' a malincuore, egli corre al bordo del campetto, a togliersi una scarpa e a esplorarla. Ma, come è lì, su quell'erba pulita, circondata dalla pista, dai muri bianchi e immacolati, e, più lontano, dall'anfiteatro grigio della periferia, è preso come da una specie di beatitudine. Né lo sguardo né la vita incontrano lì alcuna resistenza. Egli si distende a pancia in alto: e ben presto quel momento di pace, diventa solitudine e straniamento.

L'ospite si stacca anche lui dal gruppo che gioca — con quei visi di giovani già vecchi — e va a sedersi accanto a Pietro. Così, col piacere di ripetere anche cento volte le stesse cose, fieri della propria ribellione a ogni tradizione, e colmi di una passione pulita e profonda — *che si ha una sola volta nella vita* —, i due amici ricominciano a parlare di letteratura e di pittura.

I primi che si amano
sono i poeti e i pittori della generazione precedente,
o dell'inizio del secolo; prendono
nel nostro animo il posto dei padri, restando,
però, giovani, come nelle loro fotografie ingiallite.
Poeti e pittori per cui l'essere borghesi non era vergogna...
figli in vigogna e feltri...
o povere cravatte che sapevano di ribellione e di madre.
Poeti e pittori che sarebbero divenuti famosi
verso la metà del secolo,
con qualche amico sconosciuto di grande valore,
ma, forse per paura, disadatto alla poesia,
(poeta vero morto fuori dagli anni).
Selciati di Vienna o Viareggio! Lungofiumi
di Firenze o Parigi!
Fatti risuonare con quei piedi di figli
calzati di grosse scarpe.
La ventata della disobbedienza sa di ciclamino
sulle città ai piedi dei poeti giovani!
I poeti giovani che chiacchierano
dopo una vile bevuta di birra,
da borghesi, indipendenti,
— locomotive abbandonate ma ardenti
costrette per qualche tempo su tronchi ciechi,
a godersi la mancanza di fretta della gioventù:

certi di poter cambiare il marcio mondo
con quattro appassionate parole e un passo da rivoltosi.
Le madri come madri di uccelli
nelle piccole case borghesi
intrecciano il gelsomino dell'aria
col significato della luce privata di una famiglia,
e del suo posto in una nazione piena di feste.
Le notti, così, risuonano solo dei passi dei ragazzi.
La malinconia ha infinite tane
infinite come le stelle,
a Milano o in un'altra città,
da cui far alitare la sua aria di stufa accesa.
I marciapiedi scorrono lungo case del settecento,
scrostate case con sacrosanti destini
(strade di paese divenuto città industriale),
con un lontano odore romanico di stalle gelate.
È così che i poeti ragazzi fanno esperienza del vivere.
E hanno da dirsi quello che si dicono gli altri,
i ragazzi-non poeti (signori anche loro della vita
e dell'innocenza)
con madri che cantano
alle finestrelle dei cortili interni
(pozzi puzzolenti alle stelle non viste).
Dove si sono persi quei passi!
Non basta una severa paginetta di memorie,
no, non basta — forse il solo poeta non poeta,
o pittore non pittore,
morto prima o dopo una guerra, in qualche
città dei trasferimenti leggendari,
si tiene in sé quelle notti, con verità.
Ah, quei passi — dei figli
delle famiglie migliori della città (quelle

che seguono il destino della nazione
come un'orda di animali segue l'odore
— aloe, cannella, barbabietola, ciclamino —
nella sua migrazione) quei passi di poeti
con gli amici pittori, che battono i selciati,
parlando, parlando...
Ma se questo è lo schema, altra è la verità.
Riproduci, figlio, quei figli.
Abbi pure nostalgia di loro quando hai sedici anni.
Ma comincia subito a sapere
che nessuno ha fatto rivoluzioni prima di te;
che i poeti e i pittori vecchi o morti,
malgrado l'aria eroica di cui tu li aureoli,
ti sono inutili, non t'insegnano nulla.
Godi delle tue prime ingenue e testarde esperienze,
timido dinamitardo, padrone delle notti libere,
ma ricorda che tu sei qui solo per essere odiato,
per rovesciare e uccidere.

16 È la volta del padre

Il padre, nel suo letto disfatto, sta orribilmente soffrendo. Da principio, il suo dolore è ancora incosciente: egli continua infatti a dormire — e il suo non è che uno smaniare nel sonno, da cui, gemendo, sembra volersi liberare. Si sveglia solo dopo un poco: e prende lentamente coscienza che ciò che lo fa soffrire non è un incubo, ma un dolore fisico reale.

Allora, faticosamente, si decide ad alzarsi dal letto, e ad uscire dalla camera, piano piano, per non svegliare Lucia.

Dalla stanza passa, quasi a tentoni, lungo il corridoio ancora buio, e arriva nel bagno.

Qui, l'imposta è rimasta aperta: e, attraverso uno spiraglio della tendina, irrompe la luce, abbagliante e già ferma, come fosse mezzogiorno, della prima mattina. Umile e suprema. Ma quel sole così meraviglioso — che, *per caso*, dilaga dentro il vano bianco e vile della casa, con la stessa innocenza con cui splende nel cielo o tra le cose della natura — non ha, per i primi istanti, nessuna realtà per il padre: egli ne è solo sgradevolmente acciecato, o sente in esso soltanto qualcosa che sembra fargli crescere, fino alla vertigine, il suo male.

Si getta così, coprendosi gli occhi con la mano, a tentar di liberarsi di questo male, mentre sopra di lui, che non ha più neanche la forza di tener dritta la testa, il sole continua a folgorare — attraverso la piccola finestra del bagno — dalla breve, netta, raggiante fetta di giardino che si intravede per la fessura della tenda.

Solo quando si sente appena un po' sollevato, il padre comincia a prendere coscienza del miracolo di quel chiarore.

E la sua mano, ancora come staccata dalla sua volontà, si aggrappa incerta al davanzale, cerca sui vetri, tira la parte della tenda ancora chiusa su quel qualcosa di consolante e stupefacente che è la luce mai vista di quell'ora.

Così appare quasi tutto il giardino, dietro la casa; con il grande prato verde, e i gruppi, che si intravedono ai margini, di allori e betulle; un silenzioso angolo del mondo, scovato da quel sole dolce, profondo, non visto e non goduto da nessuno.

Allora il padre (non ha mai fatto una cosa simile in tutta la sua vita) si stacca dalla finestra, esce dal bagno, rientra nella sconsolata penombra della casa, l'attraversa, a tentoni, ancora dolorante, finché apre la grande porta a vetri del giardino, e vi si addentra.

Camminando sull'erba bagnata, cercando tra le piante, egli ha nel volto, colpito dal sole radente — di un rosa ch'è pura luce — un lieve sorriso strabiliato e quasi teatrale — tanto è l'incanto. Muove i passi come se fosse un estraneo in un luogo mai visto.

È la prima volta infatti che si accorge di quegli alberi, toccati da una luce che è fuori dalle tradizioni della sua esperienza. Essi sembrano infatti animati, come degli esseri coscienti: coscienti, e, almeno in quella pace, in quel silenzio, fraterni. Passivi alla luce che li tocca come un miracolo naturale, l'alloro, l'ulivo, la piccola quercia, e più in là, le betulle, sembrano accontentarsi di uno sguardo, per ripagare quell'attenzione con un amore infinito e infinitamente preesistente: e lo dicono, letteralmente lo dicono, attraverso la loro semplice presenza, dorata e vivificata dalla luce, che si esprime senza parole, ma solamente con se stessa. *Presenza che non ha significato, e che pure è una rivelazione.*

Ora, non c'è evidentemente proporzione tra i miracoli rivelati e tutte le altre cose che si fanno nella vita. Eppure il padre — forse perché sono un'eccezione già straordinaria per lui, quei pochi minuti passati vagando nel suo giardino, a quell'ora — è incapace di continuare a restare all'altezza di quella situazione, di lottare ancora a lungo con quello stupefacente amore del sole: il freddo lo fa tremare penosamente sotto la stoffa leggera del pigiama, i piedi si sono bagnati di guazza, il dolore dentro le viscere torna a farsi sentire.

Così — ancora col suo sorriso strabiliato e avaro sulle labbra — egli rientra in casa.

17 *Tutto miracoloso come la luce del mattino mai vista*

Abbandonato il giardino alla sua luce — ecco che il padre va di nuovo a tentoni, percorrendo la strada inversa, per l'interno della casa, fino a infilare il corridoio tristemente illuminato dalla luce elettrica. Ma, come fermato da un improvviso pensiero, si arresta alla porta della camera del figlio.

È, ancora, qualcosa di meccanico e di ispirato che lo sospinge: una specie di curiosità che non ha mai provato, e su cui non sa chiedersi nulla: piano piano, con la cautela di un ladro, apre la porta.

Nella stanza *quella* luce, che non ha dunque esaurito ancora il suo compito senza rapporto con le cose del mondo, entrando attraverso le fessure della grande persiana, disegna l'ospite e il figlio che stanno dormendo su uno stesso letto.

Il sonno li ha scomposti: ma è una scompostezza piena di pace. I corpi, mezzi scoperti, sono intrecciati: ma il sonno li separa; le membra sono calde di una intensa e cieca vitalità, eppure sembrano non avere vita.

Il padre sta a guardare per molto tempo, intenerito, questa apparizione, cui non sa dare significato — e che pure anch'essa è, in qualche modo, rivelatrice.

Si stacca da essa, infine, chiude piano piano la

porta, come un ladro, e torna verso la sua camera.

Lucia dorme del suo sonno leggero. Il letto di lui è disgustosamente disfatto. Egli vi si va a infilare; ma non riesce a riprendere sonno. Qualcosa che non ha nome, ma solo una lucidità insopportabile, lo fa restare lì con gli occhi aperti a pensare, forse, a una vita il cui senso, dopo essersi stravolto, resta sospeso. Che farne?

Improvvisamente, preso da una specie di pazzesca impazienza, scuote Lucia e la risveglia.

Come essa è in grado di capire — perduta ogni sacra paura dell'assurdità e del ridicolo — egli le chiede di fare all'amore, subito; anzi, lo pretende.

Lucia non si rende conto di quello che succede — e lui le è già sopra, accanito, come un cieco che corre a tentoni: non importa più quello che lei può pensare. (Ma Lucia, atterrita, è già immersa e perduta in un interrogativo che riguarda ormai tutta la sua vita futura — qualcosa che, nel momento in cui succede, appare irrimediabile — una luce nuova che illumina il passato senza ombra di ragionevolezza e di pietà.)

Egli, premendosi contro il suo ventre, baciandola con violenza ridicola sulla bocca e sul collo, cerca ciecamente, senza curarsi di lei, come già tante altre volte, di prepararsi a fare l'amore. Ma infine, deve arrendersi alla prostrazione cui l'ha ridotto tutto tremante il suo terribile dolore mattutino: resta sopra Lucia ancora un poco, come un corpo morto — poi se ne distacca, senza guardarla, e va a ridistendersi umiliato e ancora esaltato nel suo letto.

Resta lì, ripreso dalle fitte del dolore che cerca

di nascondere, pallido, sfinito dalla debolezza, riarso, a guardare il vuoto ormai pieno del soffio della luce, che non è più quella miracolosa dell'aurora, ma quella, disgustosa, di un giorno come un altro.

18 Grazia e buffoneria degli «spossessati del mondo»

La mattina è avanzata, il sole è già forte. Gli alberi hanno perduto il loro mistero: quel loro senso di fraternità (sono chiusi di nuovo nel loro semplice silenzio selvaggio e inespressivo, oppressi da qualcosa di più grande di loro, e a cui essi offrono umili la loro resa).

In questo sole già alto (alto per il padrone che dorme fin tardi: ma in realtà non sono che le nove del mattino) arriva il postino Angelo; arriva, come se nulla fosse, con la sua gaiezza che proviene da altri mondi, da altre popolazioni.

Compare Emilia ad aprirgli la porta — il postino le dà la prima posta — lei la prende: poi c'è il piccolo dialogo muto, abituale fra di loro. L'Angiolino fa un po' di boccacce da buffoncello, che fanno ridere soprattutto lui stesso. È così che di solito, lui, lazzarone, prende in giro la serva contadina...

Ma stavolta, miracolo!, Emilia apre bocca, emette un suono umano, articola un discorso... Come se si trattasse di un affare di stato, il postino riccioletto viene così a sapere che esiste un problema di cui egli diviene confidente.

Tutto felice per quella nuova prospettiva che gli apre la vita, l'Angiolino va allora dietro all'Emilia, con la faccia delle grandi occasioni. L'Emilia si dirige verso l'interno della casa (tanto grande che ci si potrebbe correre per le stanze in bicicletta, come dice l'Angiolino). Finché giungono davanti allo sgabuzzino delle scarpe. Le scarpe dell'ospite (del resto quasi immacolate nel loro colore chiaro) se ne stanno interrogative davanti ai loro quattro occhi. Esse sono di un tipo che l'Emilia non conosce, scarpe moderne, alte fino alla caviglia, e fatte di una materia che non è certamente cuoio, ma nemmeno camoscio: come pulirle? Questo è il problema. Ma gli occhi dell'Angiolino sono ridenti: infatti egli, competente in cose moderne, sa che per quelle scarpe serve una spazzola speciale, ma che ad ogni modo, si può fare anche con una spazzola qualunque, magari di quelle per spazzolare i capelli. Diffidente, l'Emilia fa la prova; e insieme, i due, per una volta alleati, si danno da fare intorno alle sacre scarpe.

Quando le cose sembrano essere a buon punto e il problema felicemente risolto, come se n'è venuto, l'Angiolino se ne va: dimentico di tutto, egli riscompare verso gli altri luoghi, gli altri popoli, gli altri mondi di cui è inviato.

L'Emilia continua a pulire ancora, amorosamente, le scarpe, e, appena il capolavoro è compiuto, piano piano, come se portasse un dono segreto, va lungo il corridoio (per dove all'alba era passato il padre) e le posa davanti alla porta della stanza del padroncino e dell'ospite.

19 Colazione all'aperto

Tutta la famiglia — come nei bei giorni d'estate, quando non sono ancora incominciate le vacanze — fa colazione nel giardino. L'Emilia porta in tavola.

Tutti stanno zitti, l'unico rumore è quello — che sembra radioso — di una stupida radio lontana.

Benché nascondano un segreto non condiviso, gli sguardi che Lucia, Pietro e l'Emilia non hanno che per l'ospite, sono pieni di trepidazione e di purezza. Solo Odetta, chiusa nel suo scontroso pallore di piccolo coniglio bianco, sembra ignorarlo: e lo fa quasi manifestamente. Questo la rende, però, sgomenta. Solo lei, dunque, è perduta in altri pensieri e non ha sguardi per l'ospite. Perché anche il padre — dopo le vicissitudini della notte — ancora bianco e sfinito — lo guarda con uno sguardo che prima non aveva certamente mai avuto.

20 Può, un padre, essere mortale?

Il padre, malato, è disteso nel suo letto: intorno gli sono la moglie, i figli e l'ospite. Sono tutti riuniti lì, per la visita del medico, che in silenzio, compie i suoi gesti esatti e consolatori (si tratta, in questo caso, di un'ipodermoclisi). La malattia del padre non è veramente grave: ma egli è come fuori dal mondo, in una specie di misterioso sciopero: reso bambino dal male e dal dolore, che in alcuni momenti sono insopportabili, in altri meno; in ogni caso, tuttavia, un'ostinazione oscura e sempre uguale lo domina, quasi malgrado lui, negli occhi che cercano: il desiderio di salvarsi.

Il medico se ne va; Lucia e Pietro lo seguono, in silenzio. Restano così nella camera del padre, Odetta e l'ospite. Odetta non lascia infatti mai un momento il capezzale del padre; ha piantato le sue tende lì, e non intende muoversi. Gli fa da infermiera, fedele come una piccola suora in odore di santità. E bisogna dire che si comporta in tutto *veramente* nel modo migliore. Intanto, il suo sgomento non le impedisce di agire secondo l'imprescindibile senso dell'umorismo; e poi la sua incertezza abituale nel fare le cose diventa ora teneramente coraggiosa, nel riuscire a farle ugualmente bene.

Tuttavia gli sguardi ansiosi del padre sono ben

poco rivolti a lei (su cui si soffermano solo ogni tanto con vecchia tenerezza): essi sono tutti per l'ospite. È l'ospite che il padre cerca, appena la moglie e il figlio sono usciti col medico. Odetta lo sa, perché, fin dai primi giorni della sua malattia, il padre ha avuto un bisogno assoluto e quasi infantile di avere sempre vicino a sé il ragazzo.

Ora, nel guardarlo, con lo sguardo supplice di chi chiede a un altro un sacrificio — per un egoismo di cui egli stesso è vittima — ha una specie di luce, quasi un leggero sorriso.

L'espressione dei suoi occhi malati è quella di quando finalmente si comprende qualcosa che dà sollievo a sé e soprattutto a chi ci sta vicino: qualcosa che risolve una situazione imbarazzante e infine anche un po' ridicola.

Egli allunga la sua grossa mano appesantita dal male, sulla coperta, raggiunge un libro, lo afferra, se lo porta agli occhi, e con la voce incerta di chi è affiochito dall'anemia, dopo aver cercato un po' penosamente la pagina, comincia a leggere:

« ... *Ma anche in questa sgradevole funzione, Ivàn Il'ìc trovò un conforto. Veniva sempre a portar via il contadino cantiniere Geràsim. Geràsim era un giovane contadino pulito, fresco...* »

Sono parole di un libro di Tolstoi, i *Racconti*, aperto su una pagina de « La morte di Ivàn Il'ìc ».

Faticosamente il padre lo porge all'ospite, perché continui a leggere. Leggero, l'ospite lo prende e si immerge subito nella lettura:

« ... *sempre allegro, sereno. Dapprincipio la vista*

di quest'uomo sempre pulitamente vestito alla russa, che compiva quella ripugnante bisogna, turbava
Ivàn Il'ìc.

Una volta, alzatosi dalla seggetta e incapace di
tirar su i pantaloni, si lasciò cadere nella morbida
poltrona e si mise con terrore a guardare le proprie
cosce nude, coi muscoli nettamente rilevati, privi
di forza.

Entrò Geràsim in grossi stivali, spargendo intorno a sé il piacevole odore dell'aria fresca invernale,
con andatura leggera e forte... e, senza guardare
Ivàn Il'ìc — evidentemente frenando, per non offendere il malato, la gioia di vivere che gli splendeva
sul viso — andò verso la seggetta.

... ‹Geràsim,› disse debolmente Ivàn Il'ìc, ‹per
favore, aiutami, vieni qui.› Geràsim si avvicinò.
‹Da me mi è difficile, e Dmìtrij l'ho mandato via.›

Geràsim si avvicinò; con le sue braccia forti quanto era leggero il suo passo, lo circondò, lo sollevò
abilmente, con dolcezza, e lo tenne in piedi; con
l'altra mano gli infilò i pantaloni e voleva farlo sedere. Ma Ivàn Il'ìc lo pregò di condurlo sul divano.
Geràsim, senza sforzo, come se neppure lo stringesse, lo guidò, quasi portandolo, verso il divano e lo
fece sedere.

‹Grazie. Come fai tutto... abilmente bene!›

Geràsim sorrise un'altra volta e voleva uscire. Ma
Ivàn Il'ìc stava così bene con lui che non voleva lasciarlo andar via.

‹Ecco, avvicinami per favore, quella sedia. Mettimela sotto le gambe. Mi sento meglio quando posso tenere le gambe in alto.

‹... Tienimi le gambe in alto tu stesso, puoi?›

‹E perché no? Posso.› Geràsim gli sollevò le gambe, e prese a discorrere con lui. E — cosa strana — gli pareva di star meglio, mentre Geràsim gli teneva le gambe.

Da allora Ivàn Il'ìc prese a chiamare ogni tanto Geràsim, gli poggiava sulle spalle le gambe e amava parlare con lui. Geràsim faceva tutto ciò con disinvoltura, volentieri, con semplicità e con una bontà che commuovevano Ivàn Il'ìc. La salute, la forza, la vigoria in tutti gli altri uomini l'offendevano; solo la forza, il vigore, la vita di Geràsim non amareggiavano Ivàn Il'ìc, ma lo calmavano. »

21 Cerimoniale di un uomo malato (regredito a ragazzo) con un ragazzo sano (promosso a giovane uomo antico)

Il padre geme sul suo letto disfatto: è uno dei momenti in cui le viscere sembrano salirgli alla gola, e un dolore disumano lo fa spasimare.

Straniato da quel suo dolore, egli compie tutti i miseri e umilianti atti che nessun ritegno, nessun pudore e nessuna buona educazione lo possono rendere ormai più capace di reprimere o nascondere.

Gli occhi eroici di Odetta lo guardano impotenti. Poi la porta della camera si apre, ed entra l'ospite. Gli occhi di Odetta si volgono su di lui — ma subito tornano sul corpo martirizzato del padre.

Il corpo dell'ospite è come un soffio carnale, pieno di salute fisica e quindi anche — per la crudeltà delle cose giuste — morale. Con quel suo corpo, intatto, misura di un altro mondo — quello dell'innocenza salvatrice — l'ospite va a sedersi sul bordo del letto, pronto al suo dovere, con pietà, forse, ma senza nessuna umiliante compassione.

Il padre l'ha già adocchiato, come in sogno, con l'occhio torbido e pieno della povera abiezione di chi è nelle mani degli altri; ha già fatto il suo calcolo, e aspetta...

Il giovane allora — con gesti che appaiono già abituali — lo aiuta a togliere le gambe a una a una da sotto le lenzuola. Lo fa lentamente, tra una fitta e l'altra del dolore che nasce dal profondo delle viscere malate del padre, facendogli contorcere le labbra, velandogli gli occhi, spremendogli il sudore dalla fronte bianca. Poi pian piano, a una a una, con la penosa collaborazione del malato, si carica le gambe sulle spalle, reggendole per le caviglie con le mani.

Davanti a lui — giovane contadino che lo guarda con quel leggero velo di ironia negli occhi e quella sua pacata premura materna — il padre, come Ivàn Il'ìc, sta rovesciato nel letto, con la testa perduta nel capezzale; ma sollevato — o così almeno crede — dal dolore. Egli guarda il viso dell'ospite — che non ha una ruga o un rossore — tra i suoi due piedi penosamente appoggiati sulle sue spalle: ne guarda la consolante salute, la giovinezza il cui futuro sembra senza fine. Sorride appena appena di sé, del suo male, del suo straniamento, del suo bisogno d'aiuto.

Il sole dell'estate era dunque ancora lì, trionfale, nel giardino ormai volto alla fine della sua gloria, ai primi colori ruggini, tanto poetici nei grigiori dell'aria lombarda.

Tra l'ombra ancora calda e il sole non più così ardente, il padre è disteso su una sdraia a godersi, gonfio di gioia, il mondo.

Vicini al padre convalescente ci sono l'ospite e Odetta, che leggono.

Ma mentre l'ospite è realmente immerso nella sua lettura, Odetta legge per pretesto, a tratti, e quasi con odio per il libro che ha in mano.

Il suo occhio gira intorno inquieto sulle cose che per il padre sono cariche di significato — quasi da esploderne, nell'intensità della luce — e per lei non sono che ombre noiose e dolorose. Ma più spesso ancora il suo occhio è sul viso, riposato, del padre.

La malattia l'ha trasformato, e ha certo toccato — davanti agli occhi di Odetta — una realtà che sembrava incorruttibile: *la realtà del padre potente e immortale.*

D'improvviso la devozione di Odetta per lui, non è dunque più mitica — come durante la lunghissima infanzia che non vuol morire — ma, misurandosi con la realtà, si è fatta ora incerta e drammatica: è il momento in cui l'amore o cresce o finisce.

Forse è per questo che l'occhio di Odetta sfugge alle parole estranee del libro, e va a interrogare il volto di quel nuovo padre disteso davanti a lei.

Ed ecco che l'occhio del padre si apre, vivacemente, e si posa, come sempre, sul volto dell'ospite. Odetta, ancora una volta, segue quello sguardo; ma, mentre fino allora lo aveva distolto subito dall'ospite per ritornare al padre, ora invece si sofferma per la prima volta a osservare quel giovane uomo che ha sempre ignorato. Lo vede, in fondo, ora, per la prima volta.

Quello che il padre vuol chiedere all'ospite è che cosa stia leggendo. Una domanda senza curiosità, fatta per pura simpatia, per abbondanza del cuore e voglia di parlare. Il ragazzo alza quei suoi grevi occhi azzurri, dal volumetto di Rimbaud che sta leggendo, e, senza nessuno stupore, con la sua voce un po' rozza, comincia a leggere esattamente le parole a cui era per caso arrivato...

Ma ecco che, mentre egli legge — in uno di quegli estri silenziosi e aggraziati della sua vita di giovinetta — Odetta si alza di scatto, posando il libro sulla sedia, e scompare in casa. Ma per poco; ne riesce infatti subito con la sua macchina fotografica, quella del culto della famiglia e del padre: del culto conservatore (tante volte, nei secoli, affidato alle vergini).

Comincia, assente e ostinata, a fare delle fotografie: le fotografie-ricordo dei giorni della convalescenza del padre. Mette l'occhio nel buchetto dell'obiettivo, e clic, fa scattare la sua piccola immagine, futuro pezzo raro dell'album.

Ma, a differenza di quello che sarebbe successo anche poco tempo prima, Odetta non sceglie come protagonista unico di quelle fotografie il padre convalescente. La scoperta improvvisa — fatta tuttavia attraverso gli occhi del padre — della presenza dell'ospite, ormai è un dato di fatto ineliminabile, che non solo si impone a lei come una novità, ma pare renderla addirittura incapace di dominarsi.

Attraverso il piccolo quadrato dell'obiettivo, essa lo osserva non vista. Vede qual è il suo viso, le sue spalle, il suo grande torace e il suo piccolo bacino di giovane genitore; la sua distrazione che nasconde una violenza di cui egli non pare essere, innocentemente, conscio, oppure di cui egli non conosce che la naturalezza.

Odetta smette d'improvviso di fare fotografie, e semplicemente guarda l'ospite; che a sua volta alza lo sguardo su di lei.

Ma Odetta non lo vuole, non l'accetta. Col furore della sua grazia nevrotica e impenetrabile, come un idoletto, scappa via; va a posare in casa la macchina fotografica.

Poi riesce ancora, si pianta, senza espressione, davanti all'ospite, e lo prende per mano. Lo costringe così, a seguirla. Egli si alza, obbediente a quel pudico invito, a quell'ingenuo cerimoniale, e, attraverso il giardino, la segue nella sua cameretta.

23 Bambina nel covo della virilità

Non è proprio la sua cameretta, ma la cameretta di quando era bambina, ora abbandonata, con le tende penzolanti, un bianco letto un po' lezioso, e una cassapanca, oscura, sotto la finestra.

L'ospite si siede sul bordo del letto, un po' scomodo, perché il letto è alto; deve stare, così, con le gambe un po' tese e larghe. Quando perciò Odetta, dopo avere lanciato verso di lui uno sguardo che non contiene nulla — se non un sospetto insensato di animale selvatico, — si china sulla cassapanca — ne tira fuori i suoi preziosi album — e torna verso di lui — non trova di meglio che andare a sedersi tra le sue gambe, con la schiena appoggiata al letto. Vi si accuccia, pèr dir meglio: ma abbastanza comodamente, perché le gambe del ragazzo, fasciate dalla leggera tela tirata, sono come due colonne, tra di cui la selvatica Odetta si può sistemare con naturalezza e quasi con capricciosa eleganza. È vero che se appena si voltasse, si troverebbe davanti al grembo, immacolato e potente, in fondo alle due colonne protettrici: ma essa non si volta: i suoi sguardi passano quasi supplichevoli dall'album delle fotografie alla faccia dell'ospite, che le sorride, buono, nella sua potenza.

Essa alza i grossi globi dei suoi occhi su di lui, con

la sua boccuccia semiaperta di adenoidea incantata, e lo interroga: poi riabbassa gli occhi sull'album e lo sfoglia a cercare, con una meticolosità pari all'assenza, gli altri pezzi forti dei suoi ricordi famigliari.

E l'ospite le sorride. Ma ecco che una sua mano, in un gesto naturale e inavvertito, si posa sopra la coscia, sul grembo, dietro la schiena di Odetta. Essa, a quel gesto, si volta, e guarda la mano — con quella sua assenza meticolosa: poi alza gli occhi su di lui attenta a non cambiare espressione, a mantenere in essi la stessa luce. Ma egli le sorride, paterno e materno, più caldamente, e, come se essa fosse una cosa morta e inerte, l'afferra sotto le ascelle, e la tira su da terra, sollevandola fino alla sua altezza.

L'album delle fotografie rotola sul pavimento, e le due bocche si incontrano. È il primo bacio di Odetta, ed essa lo riceve rigida e piena della sua carne intensa, in ginocchio, sostenuta dalle braccia potenti del ragazzo, per cui è così leggera...

24 «Il primo paradiso, Odetta...»

Il primo Paradiso, Odetta, era quello del padre.
C'era un'alleanza dei sensi, nel figlio
— maschio o femmina —
dovuta all'adorazione di qualcosa di unico.
E il mondo, intorno,
aveva un lineamento solo: quello del deserto.

In quella luce oscura e senza fine,
nel cerchio del deserto come un grembo potente,
il bambino godeva il Paradiso.
Ricordati: c'era un Padre soltanto (non la madre).
La sua protezione
aveva un sorriso adulto ma giovane,
e lievemente ironico, come ha sempre chi protegge
il debole, il tenerino — maschio o femminuccia.

Tu sei stata in questo Primo Paradiso
fino a oggi: e, in quanto femmina,
non ne perderai mai il ricordo e la venerazione.
Sarai, per natura, adoratrice... Ma prima
di tornare a te, per avvertirti dei pericoli
della religione, voglio farti la storia
di tuo fratello, ch'è dello stesso sesso di Dio.

Anch'egli, in tempi in cui era *veramente* bambino,
(più bambino ancora di quand'era nel ventre materno
o di quando succhiò il primo latte dal seno)
è vissuto in quel Primo Paradiso del Padre.

L'odio sorse improvviso, e senza ragione.
Il grembo ch'era come un sole coperto di nuvole
dolci e potenti, il grembo di quell'Uomo
immenso e unico come il deserto,
divenne un oscuro fondo di calzoni,
s'immiserì, perdette l'innocenza
nel sospetto di non essere altro che umano.
Era venuto il giorno
in cui, il puro orizzonte del deserto, si perde
in un silenzio e in un colore meno perfetto,
si cominciano a vedere i primi palmizi,
e la prima pista compare muta tra le dune.

Così il bambino valicò il confine del Primo Paradiso:
che restò indietro, nel tempo; nel tempo, *sognato*,
di una verde regione rigata di file trasparenti
di pioppi — o in una grande città di provincia.
Il bambino cadde a capofitto sulla terra,
perdette il nome di Lucifero e prese, insieme,
quello di Abele e quello di Caino (ciò vale almeno
per certe terre rosa, mediterranee, e per queste, verdi,
dove le monache a un'Odetta laica l'insegnano).

Queste terre furono il Secondo Paradiso.

Ci fu una madre (diciamola adottiva), che, nel tuo caso,
ebbe ricche pellicce odorose di precoci primavere.
Come fu terrestre, dolcemente terrestre,
la sua dolcezza di bambina piccolo borghese,
che, tutte le care cose apprese non le desidera per sé
ma per quel suo figlioletto che le passeggia al fianco,
anche lui tutto imperlato del fresco delle primule!

Scorreva un fiume (nel tuo caso il Po) in quel Paradiso:
perché la casa dove i genitori « adottivi » alloggiano,
dopo il matrimonio, è sempre nei dintorni di un fiume.
O, se non è un fiume, il mare o una catena di colli.

Crebbero da soli i frutti, con nomi stupendi,
mele, uva, more, ciliege; e i fiori, gli inutili fiori,
non contarono meno di loro: e anche i loro nomi
erano meravigliosi, primule, appunto, o girasoli,
o bucaneve, o mughetti, e anche, nelle feste, orchidee.
Il sole, là sopra, era certamente una creatura amica
addolcita dall'innocente idea che la madre
comunicava al suo piccolo figlio stretto per mano;
e come nasceva al mattino, moriva alla sera,
cedendo il posto a quelle stelle che il figlio, obbediente,
doveva appena vedere, e presto lasciare ai loro silenzi.

Ma quella madre non era innocente, com'egli credeva!
E così lo stesso odio senza ragione — che era nato da solo
come un frutto o un fiore, nel Primo Paradiso —
nacque anche nel Secondo. La nostra esistenza

non è che un folle identificarsi con quella dei viventi
che qualcosa di immensamente nostro ci mette vicino.

Fummo così la madre peccatrice davanti al frutto
il cui mistero risuscitava i giorni del Primo Padre
— tanto anteriori a quelli del verde Paradiso lombardo!

Risplendette nuovamente il sole del deserto
su quella piccola mela, desiderio di modeste esistenze.
Il solito sole di ogni giorno se ne stava in disparte,
segregato come in un improvviso dicembre; mentre l'altro,
stupendo, ardeva: misura su cui misurare secoli e miserie.
La mamma dunque, *che altri non era che il proprio bambino,*
addentò con materna innocenza e figliale incoscienza
quel frutto estivo. Subito il secondo padre, quello adottivo
— che, in confronto al primo, era come lo spento
sole d'inverno in confronto a quello delle Prime Estati —
seguì il suo esempio, esule uomo della terra,
facilmente tentato e facilmente corrotto.

Ma anche con lui, noi ci eravamo identificati:
perché, in quanto noi stessi, non potevamo esistere;
potevamo esistere solo se eravamo il padre, la madre.
Peccammo con le loro stesse bocche, le loro stesse mani.
E il Primo Padre ci cacciò anche dal Secondo Paradiso.

Sono dunque due i Paradisi che noi abbiamo perduto!
Stretti per mano ai genitori prendemmo le strade del mondo.

Lucifero si distinse da Abele, e seguì il suo destino
finendo nell'oscurità più nera. Abele morì,
ucciso da se stesso col nome di Caino.
Insomma non restò che un figlio, *un figlio solo.*

Dopo molti millenni si ebbe la prima seminagione,
e dopo un altro millennio da questo avvenimento
fu nominato un Re padrone degli uomini moltiplicati.
Ah, quanti vasellami colorati! Dovemmo guadagnarci il pa
e questo cominciò a prenderci a noi stessi, e a perderci
ognuno in una falsa idea di sé, nell'inferno presente.
Per questa strada, dunque, si sta avviando tuo fratello Piet

Ma perché, nell'esporti questa Teoria dei Due Paradisi,
ho parlato di tuo fratello Pietro e non di te?
È semplice: perché senza la sua storia di figlio maschio
la tua non potrebbe essere confrontata a nulla,
e non si potrebbe quindi neanche cominciare a parlarne.

Non ci fu una Lucifera, né una Abele, né una Caina:
tu dunque dovresti essere restata nel Primo Paradiso.
O almeno è quello che dovresti ricordare, col vero Padre:
ed è così, infatti: perciò sei immensamente più vecchia
del tuo padre adottivo, di cui sei innamorata,
di tua madre adottiva, che ha il nome di Lucia,
e di tuo fratello Pietro, esempio dell'intera esistenza.

Con ognuno di essi, tu, poverina, ti sei identificata:

e non sai che invece sei laggiù, prima delle loro nascite,
la sola veramente obbediente al Primo Padre.
Cosa deve valere di più, la tua identificazione o il tuo essere?
Tu non sai scegliere, tenera Odetta, perché sei cieca:
così sei scelta; così sei vissuta; e tu recalcitri
inutilmente, persa tra un ricordo ch'è troppo bello
e una realtà che ti porta dal sogno alla pazzia.

25 Da possessore a posseduto

Il padre e il giovane ospite sono in macchina (la Mercedes padronale del padre), che corre per le lunghe e strette strade asfaltate della campagna a sud di Milano...

Ma, a questo punto, pensiamo che sia giusto finire di chiamare il padre semplicemente « padre », e chiamarlo con il suo nome, che è Paolo. Anche se un nome di battesimo, un qualsiasi nome, può parere assurdo se attribuito a un padre: esso, infatti, in qualche modo, lo priva della sua autorità, lo sconsacra, lo respinge alla sua vecchia qualità di figlio; esponendolo appunto a tutte le disgraziate, oscure e anonime vicissitudini dei figli.

Tra Paolo e l'ospite c'è infatti un silenzio imbarazzato, benché, a dire il vero, il solo imbarazzato sia Paolo: l'ospite, infatti, si limita a tacere delicato e obbediente — egli sì, veramente figlio, a pieno diritto — e in cui la qualità di padre è potenziale e futura, e perciò tanto più presente e certa. Così che dietro la giovanile, distratta e generosa maschera del figlio c'è un padre fecondo e felice; mentre dietro la segnata, preoccupata e avara maschera autoritaria del padre c'è un figlio deludente e ansioso.

In un punto qualsiasi della strada — un punto deserto — la Mercedes si ferma: il padre abbandona il volante e ne esce, risalendo dall'altro sportello, e l'ospite prende, soddisfatto, come tutti i ragazzi della sua età, il suo posto al volante. È fatale: appena riprende ad andare, la macchina corre a velocità almeno doppia. Le cattedrali trasparenti di pioppi contro il cielo di cenere, ancora maledettamente freddo, la ingoiano sempre più voracemente, verso un mezzogiorno dove non c'è sole, ma, al contrario, le marcite, incupendosi, sembrano avere già il colore della sera. È la Bassa, che, invece di aprire il Settentrione verso un più allegro e sensuale Sud, sembra circondarlo come una fossa. Ma è proprio verso la Bassa — verso le boschine ovattate e selvagge del Po — verso i boschi cedui che possono essere così teneramente tiepidi nei primi giorni ancora gelidi di primavera — che gli amanti sono istintivamente attratti, per tradizione.

Il discorso che Paolo vuole affrontare è indubbiamente grave (il giovane è un po' distratto dalla guida, dall'ambizione di prendere bene le curve): ma non ne ha il coraggio, come, appunto, un ragazzo.

Parlare? O, anche lui, non dovrà piuttosto *agire prima di decidere*? Non è egli, rispetto ai suoi figli e a sua moglie, il campione di una autenticità che fa di un uomo un uomo borghese, scolpito nella sua rispettabilità e nelle sue regole (ormai naturali) come una statua nel marmo? Parlare di problemi anziché di sentimenti veri, o di desideri, non è ancora un pretesto?

Il corpo dell'ospite è accanto a Paolo, intatto e forte come quello di un contadino; e, in più, ha quel prestigio che gli proviene dall'essere un ragazzo borghese e colto (e quindi con un forte sentimento della propria dignità). Il corpo di un contadino si può infatti toccare e accarezzare, perché è senza difese, è come un cane col padrone, non ha (davanti a lui) principi morali da difendere; soprattutto non è capace di ironia; è insomma, magari malgrado se stesso, obbediente.

Eppure il corpo dell'ospite, ricco di carne ma senza alcuna mollezza, abbondante ma puro, tutto, insomma, fecondità figliale, arde lì accanto, al volante, come fosse nudo, dalla grazia del torace e delle braccia tese, alla violenza delle cosce rinserrate tra le grinze della tela quasi estiva.

Il padre — Paolo! — lo guarda, e, *prima di averlo deciso*, lo accarezza.

Gli passa la sua mano — che non ha mai accarezzato che la propria moglie o una serie di amanti belle ed eleganti, nel modo dovuto — appena appena, sui capelli, il collo, la spalla. L'ospite sorride lieto; senza nessuno stupore, col suo sorriso infantile e generoso.

Si volta, anzi, raggiante, verso Paolo, dando subito alla carezza che ha ricevuto da lui una festosa naturalezza; gli si mostra grato; e lo ricompensa con la sua giovanile allegria; quasi umilmente, come appunto uno nato da una classe inferiore — gli fa capire che non c'è alcuna violazione ad alcunché in quel gesto, che per un borghese è insensato. Tuttavia, in quel sorriso, non balena neanche per un istante la dolcezza di chi si dona. Al contrario, non c'è che la sicurezza di chi dona.

Ciò rende Paolo ancora più figlio. Quella indecisa carezza (da cui la mano si è subito ritirata) non è segno di possesso, ma preghiera a chi possiede. Ora, Paolo è uno di quegli uomini abituati da sempre al possesso. Egli ha sempre, da tutta la vita (per nascita e per censo) posseduto; non gli è balenato neanche mai per un istante il sospetto *di non possedere.*

Ecco il Po apparire quasi d'improvviso, in una sua ansa, grande come una piazza, malinconica (la corrente è crespa e giallastra, per un inizio di piena, e corre via vertiginosa, in una specie di concentrazione devastatrice, verso Cremona, verso Mantova, verso Oriente).

Quell'apparizione era stata appena annunciata da un infoltirsi delle file di pioppi, che si erano fatte quasi foresta; e i pioppi, non solo i prati quadrati contenuti tra essi, erano più verdi; quasi che lì la primavera fosse più inoltrata e triste. Eppure un po' di sole aveva vinto le nuvole, diradato la foschia stagnante, e legato l'enorme anfiteatro di pioppi, che si stendeva sotto l'argine a perdita d'occhio, con un cielo intensamente sereno.

La macchina è ferma sopra l'argine; e Paolo e l'ospite ne scendono; stando un po' fermi al sole là sopra. Poi Paolo, quasi sorridente, ormai definitivamente regredito a inferiore, con quel suo volto bronzeo di ricco increspato di rughe autorevoli, resta accanto alla macchina incerto e intimidito, come non sapendo che fare, dove andare. Ma l'ospite, anche lui sorridente — di quel sorriso di chi non perde niente, anzi dà tutto, ma per questo non deturpa, con qualche orgoglio o disprezzo, la sua candida grazia — scende, obliquamente, di corsa, l'argine ancora giallo, secco e invernale, e, arrivato in fondo all'argine, come un ragazzo che va a giocare a pallone, si spinge tra i cespugli che, in un largo spiazzo, giungono fin sulla corrente del fiume.

La terra è molle e profumata; ma non umida. E così i cespugli, quasi tutti ancora secchi; tranne qualcuno cosparso di piccoli fiori bianchi. Per terra, sull'humus profumata d'inverno e primavera, ci sono ancora le foglie dell'anno prima, marcite e indurite.

In quella specie di grande terrazza, oltre l'argine, sul fiume, ci sono delle crepe, che dall'alto non si vedono. L'ospite scompare dietro una di quelle crepe, per riapparire più basso e più lontano, tra i cespugli ruggini, d'un ruggine che sta però per splendere di nuovi teneri colori (solo i vincastri sono già sanguigni). Poi riscompare dietro un'altra crepa, più profonda, che porta certo all'altezza della corrente.

Paolo gli tiene dietro, camminando su quel terreno per dove certamente almeno da una quarantina d'anni (da quando era ragazzo) non metteva più piede; ne è disorientato come un malato appena uscito dall'ospedale, nel sole. L'avere sempre fatto sport, nei posti comodi, non gli serve; c'è una specie di radicale ostilità tra il suo corpo e quella terra di nessuno, appena appena eppure così profondamente profumata.

Quando, oltre la seconda crepa, faticosamente discesa, raggiunge l'ospite, lo vede disteso a terra, con una mano sotto la nuca, un'altra con la siga-

retta accesa (quasi un po' ribaldamente e viziosa-
mente), e le gambe larghe. Paolo gli si avvicina,
come con un timore reverenziale per quel suo abbandono, prepotente e innocente...

Gli Ebrei si incamminarono verso il deserto.

Per tutto il giorno, da quando l'orizzonte con le dune oscure di roccia, piatte, o quelle di sabbia, anch'esse oscure, rotonde — si disegnò contro il rosso dell'aurora, a quando si tornò a disegnare uguale, contro il rosso del tramonto — il deserto fu sempre lo stesso.

La sua inospitalità non aveva che una sola forma. Esso si ripeteva uguale in qualsiasi punto gli Ebrei si trovassero, fermi o in cammino.

Ad ogni miglio, l'orizzonte si allontanava di un miglio: così tra l'occhio e l'orizzonte, la distanza non cambiava mai. Il deserto aveva i mutamenti del deserto: era ora un altopiano di roccia, ora una distesa di pietraie (enormi e nude come nelle periferie delle metropoli, con lo stesso colore sbiadito dell'acciaio), ora un lago di sabbia oscura listata da un'infinità di orli capricciosi e tutti uguali. Ma queste varianti avvenivano tutte all'interno di quello che altro non era che il deserto, e a nient'altro assomigliava che al deserto. E queste varianti di roccia, pietre o sabbia, non erano altro per gli Ebrei che il segno della ripetizione, la possibilità a percepire una monotonia che entrava nelle ossa come la febbre della peste. Il paesaggio del contrario della vita si ripeteva dunque non offuscato o interrotto da niente. Nasceva da se stesso, continuava con se stesso, e finiva in se stesso: ma non rifiutava l'uomo, anzi lo accoglieva, inospitale ma non nemico, contrario alla sua natura, ma profondamente affine alla sua realtà.

Camminando dunque per un'immensità dov'era come se si restasse sempre fermi; ritrovando, dopo un miglio o dopo cento miglia, la stessa duna con le stesse piegoline tutte identiche disegnate dal vento; non riconoscendo alcuna differenza tra l'orizzonte a settentrione e quello a meridione, o tra le piccole colline oscure a oriente e quelle a occidente; apparendo come ugualmente gigantesco, sia davanti che alle spalle, un piccolo sasso posato sul profilo di una duna, ed essendo tutti i torrenti, scavati nel colore arido del carbone, sempre lo stesso torrente — gli Ebrei cominciarono ad avere l'idea dell'Unicità.

La percepirono il primo giorno, dopo aver camminato dentro il deserto per cinquanta miglia; ne furono invasi il secondo giorno, dopo aver percorso altre cinquanta miglia, senza che nulla cambiasse. Finché non ebbero più altra idea che quella.

L'Unicità del deserto era come un sogno che non lascia dormire e da cui non ci si può risvegliare.

Uno era il deserto, ed era Uno un passo più in là; Uno due passi più in là; Uno per tutti i passi che gli Ebrei potevano compiere. Le forme delle palme, delle acque, dei pozzi, delle strade, delle case si perdettero piano piano nella memoria: finché l'intera complicazione del mondo umano, restò indietro, e parve non esistere più.

L'Unicità del deserto era sempre fissa davanti agli occhi degli Ebrei, che tuttavia non riuscivano a impazzire. E, anzi, si sentivano accolti da quella cosa Una che era il deserto che essi percorrevano, consapevoli, ma in fondo, ormai felici, di non poter mai più uscire dai suoi confini infinitamente lontani.

L'abitudine all'idea dell'Unicità che il deserto assumeva nei sensi, proiettandosi come una cosa che non cambia nell'interiorità di chi lo percorre senza poter più uscire da lui (che pure è tutto aperto), e che per quanti sforzi faccia, non può dimenticarlo neppure per un istante — si faceva quasi una seconda natura, che coesisteva con la prima, e a poco a poco la corrodeva, la distruggeva, ne prendeva il posto: così come la sete uccide a poco a poco un corpo che la soffre. Gli Ebrei camminavano, e, anche se non ci pensavano, erano accompagnati continuamente dall'idea di tanta oscurità e tanta luce entrati dentro di loro.

L'Unicità del disegno del deserto si faceva dunque qualcosa che stava dentro di loro che la soffrivano. Ne erano invasi. Era il dolore interminabile di un malato che, spasimando, si rotola ora da una parte ora dall'altra del letto: e da una parte sente il deserto, dall'altra parte sente ancora il deserto, e, nel momento in cui si rotola per cambiare posizione, sente, insieme, il desiderio di dimenticarlo e il desiderio di ritrovarlo.

Gli Ebrei giunsero in una nuova oasi, lungo il corso di un uadi. Volava qualche cornacchia; e c'erano cammelli al pascolo; dei nomadi avevano piantato le loro tende intorno al pozzo, e stavano là a guardare, interrompendo per un momento la loro vita quotidiana, coi loro occhi dolci come quelli dei cani preziosi o delle gazzelle.

Ma anche nel cerchio della nuova e ritrovata varietà della vita — perduta e ruminante nella profonda pace del sole — l'idea del deserto restò dentro gli Ebrei: e altro non era, ancora, che qualcosa di Unico.

Del resto bastava voltarsi, e, dietro qualche palma, qualche muretto, o qualche groppa sassosa dove si ammassava il villaggio della tribù di un'altra razza — esso era là.

L'apostolo Paolo partì dall'oasi: dalla cittadina di sabbia, sola come un cimitero, intorno al suo pozzo — e la cui vita consisteva nel non morire. La malattia mortale si vedeva nelle acque verdastre del pozzo, nella decrepita vecchiaia dei tronchi, nella polvere infiammata dal sole — in cui tutto si sgretolava da millenni. Tuttavia, là c'era la vita umana, con tutte le sue forme: e, benché come inebetiti o resi afoni dal silenzio che veniva dal deserto, i ragazzetti ridevano con gli occhi folgoranti di dolcezza, e coi loro corpi senza peso; i giovani covavano la loro libidine, tra i ricchi stracci e le bende strette sui lineamenti dolci e ripugnanti dei banditi; ronzava il mercato; dei drappelli di donne tornavano veloci come tanti vecchi preti dalla spesa; gli anziani stavano appoggiati in fila lungo i muretti coi loro fegati marci e gli occhi di bestie malate e tranquille.

Il deserto ricominciò a riapparire in tutto quello che era: e per rivederlo così — deserto e nient'altro che deserto — bastava solamente esserci. Paolo andava, andava, e ogni suo passo era una conferma. Scomparsi gli ultimi ciuffi di palme, composti tra loro in gruppi pittoreschi, ricominciò l'ossessione, ossia il procedere restando sempre allo stesso punto.

Sì, il deserto col suo orizzonte davanti e il suo orizzonte alle spalle, sempre uguali, teneva in uno stato di delirio: ogni fibra del corpo di Paolo esisteva in sua funzione: era tutto pietra oscura; o sabbia coagulata nelle rughe segnate dal vento; o polvere grigia, con scintillii di metallo, dove il vento alzava strisce regolari e sinistre di un colore biancastro, cadaverico. Qualsiasi cosa Paolo pensasse, era contaminata e dominata da quella presenza. Tutte le cose della sua vita, che non era — adesso appariva ben chiaro — la semplice vita dell'oasi, erano unificate da quella Cosa, che egli esperimentava sempre allo stesso modo, perché era sempre la stessa.

Non poteva impazzire perché, in fondo, il deserto, in quanto forma unica, in quanto solamente se stesso, gli dava un profondo senso di pace: come se fosse tornato, no, *non nel grembo della madre, ma nel grembo del padre.*

Infatti, come un padre, il deserto lo guardava da ogni punto del suo orizzonte sconfinatamente aperto. Non c'era niente che riparasse Paolo da quello sguardo: in qualunque punto egli fosse — cioè sempre nello stesso punto — attraverso le distese oscure della sabbia e delle pietre, quello sguardo lo raggiungeva senza nessuna difficoltà: con la stessa profonda pace, naturalezza e violenza con cui splendeva il sole, inalterabile.

Passavano i giorni e le notti.

E a cosa servivano?

A coprire e scoprire una sola Cosa, che era là, a farsi coprire e scoprire, senza ansia, attraverso lunghi crepuscoli pieni di una malinconia completamente senza suono. Quella Cosa non si faceva tuttavia coprire e scoprire, dalla notte e dal giorno, come un oggetto, bensì come un padrone, che avesse deciso lui stesso la propria passività, abbandonandosi a quel ritmo, le cui origini erano altrettanto profonde nel tempo che le sue.

Così quando il sole rinasceva in un punto dell'orizzonte non contrassegnato da nulla, ecco che, come se nulla di reale fosse accaduto, il deserto era intorno, col disegno e la luce del giorno prima, e con l'ardore terribile del sole che si tornava a identificare col pericolo e con la morte.

Paolo percorreva quella strada senza storia, in quella identificazione completa tra luce del sole e coscienza di star vivendo.

Ma com'era tutto pulito, puro, incontaminato! In quel vuoto vitale e ardente non erano nemmeno concepibili le oscurità, le tortuosità, le confusioni, i contagi, il puzzo della vita. Appunto perché lì non c'era varietà, ma solo unicità: l'azzurro profondo del cielo, l'oscurità della sabbia, il disegno dell'orizzonte, le accidentalità del terreno, non erano forme che si opponevano le une alle altre, escludendosi a vicenda, o prevalendo a vicenda ora una ora l'altra: no, esse erano una forma unica, e come tale essa era sempre anche onnipresente.

L'Angiolino, come suonando su un flauto invisibile e gaudioso il *Flauto Magico*, arriva — attraversa il giardino — preme il dito sul campanello — aspetta — sorride fiammante all'Emilia che viene ad aprire (e con cui, da quando l'ospite è in casa, sono diventati amici) — consegna prima una rosa, per scherzo, poi un telegramma — e se ne va.

La nostra famiglia borghese, col suo ospite, è a tavola, così come è già stata tante volte nel corso di questa storia (il suo pranzo è pieno di grazia, ogni particolare della tavola apparecchiata potrebbe essere il particolare di un affresco dei tempi in cui la produzione era umana).

Chino sul suo piatto ognuno mangia in silenzio. I segreti sguardi d'amore per l'ospite, ognuno se li coltiva dentro di sé, come un affare che riguarda soltanto lui.

L'amore comune per l'ospite non è infatti qualcosa che accomuna, e davanti a cui cade ogni difesa, come nelle occasioni in cui si può ingenuamente godere o soffrire insieme.

Tutti i membri della famiglia sono resi uguali fra loro dal loro amore segreto, dal loro appartenere all'ospite: non c'è più dunque differenza tra l'uno e l'altro. Lo sguardo di ognuno ha lo stesso significato, lo stesso fine: ma, tutti insieme, non fanno certo una chiesa. (Anche se sacro è il silenzio di quel loro pranzo.)

Emilia arriva in silenzio — anche lei col suo segreto che la rende uguale ai suoi padroni, evidentemente, pur lasciandola alla sua povertà di cagna — e consegna quasi come un proprio privilegio all'ospite il telegramma. Egli ne comunica a voce alta il contenuto: « Devo partire, domani. »

Appendice alla parte prima

Sete di morte

Io sono distrutto, o almeno trasformato
fino a non riconoscermi, perché in me
è distrutta la legge, che —
fino a questo momento —
mi aveva reso fratello agli altri:
un ragazzo normale, o almeno non anormale,
o anormale come tutti... Anche se
(c'è bisogno di dirlo?) pieno
di tutti gli errori che la mia classe
e il mio livello sociale in essa,
porta con sé — e che comunque il privilegio risarcisce.
Nonostante questo,
io, prima che tu entrassi nella mia vita —
rimettendola in discussione
e trasformandola in un cumulo di macerie —
ero come tutti i miei compagni.
È dunque attraverso la distruzione di tutto ciò
che mi rendeva uguale agli altri,
che io divento
— cosa inaudita e inaccettabile — un DIVERSO.
Questa diversità, mi si rivela d'improvviso:
fino a questo momento essa era stata nascosta
dall'instabile ebbrezza che avevo raggiunto
(illudendomi, di potermi tacere
tutto per sempre), con la tua presenza.
Chi mi ha reso diverso (cosa meravigliosa!) mi è stato vicino.
E mi ha distratto così con l'intensità e il sapore

inesprimibile che il suo sesso
aveva dato alla mia vita.
La paura e l'ansia di non averti più vicino
a soddisfare il mio desiderio di vederti e toccarti
dove tu mi sei compagno, ma più giovane e fresco,
come un bambino, e più maturo e potente,
come un padre che non sa quanto sia divino
il suo semplice membro —
è ben diversa dalla coscienza
di dover perderti per tanto tempo, forse per sempre.
È la coscienza della perdita
che mi dà la coscienza della mia diversità.
Che cosa succederà da questa notte in poi?
Il dolore dell'addio sconfina
con questo senso tragico di un futuro
da passarsi in compagnia di un nuovo Pietro,
completamente diverso da me.
E cosa rispondono, in silenzio, a tutto questo
i tuoi occhi seri, amici e oscuramente spietati
(o già lontani)? La tua intenzione
è forse quella di spingermi sulla strada della diversità
fino in fondo e senza compromessi?

. . . .

Vuoi dire che se questo amore è nato
è inutile tornare indietro,
è inutile sentirlo come una pura e semplice distruzione?
Che, quanto al dolore della separazione,
io potrei trovare qualcuno che potrebbe sostituirti,
e ricreare in me quei sentimenti
di ridicola tenerezza e bestiale passività
nati così da poco e interrotti così bruscamente?

. . . .

E se tu sei stato un padre senza rughe e senza capelli grigi
un padre com'egli era quando aveva poco più della mia età,
non potrebbe essere un padre come questo

a sostituirti? Anche se
ciò è inconcepibile e spaventoso,
anzi, proprio per questo?

Identificazione dell'incesto con la realtà

Non sono le cose che sembrano più giuste e semplici
che si rivelano, in conclusione, le più oscure e difficili?
Non è la vita stessa, nella sua naturalezza,
che è misteriosa — e non le sue complicazioni?
L'addio tra te, che te ne vai, e me, una ragazzetta
che solo fra un anno o due potresti sposare,
è la cosa più tragica che possa succedere al mondo.
E poi...
Fino al tuo arrivo io ero vissuta
tra persone — scusa l'eterna parola — normali:
io invece non lo ero; e dovevo proteggermi
(ed essere protetta), per nascondere
i penosi sintomi della mia malattia di classe,
ossia del vuoto in cui vivevo (sinistra salute).
Quella malattia minacciava di continuo,
in me, di venire alla luce,
di smascherare me e tutto.
La cosa, allora, andava presa... con umorismo —
come un vanto, come un'aristocratica abitudine
da coltivare, fioricino di serra, al caldo della casa.
Addirittura (pensa!) come se si trattasse
di una buffa e imperterrita apertura
verso idee anarchiche, o un po' sovversive, luoghi gelati
certamente non visitati da nessuna delle mie pari...
Tu mi hai riportato alla normalità.
Mi hai fatto trovare la soluzione giusta
(e benedetta) alla mia anima e al mio sesso.

La presenza miracolosa del tuo corpo
(che racchiude uno spirito troppo grande)
di giovane maschio e padre,
ha sciolto la mia selvaggia e pericolosa
paura di bambina... Ma adesso,
in questo addio, non soltanto
riprecipito indietro,
ma vado ancora più indietro.
Il dolore è causa di una ricaduta
molto più grave del male
che ha preceduto la breve guarigione.
Le carezze che tu mi dai in silenzio,
forse per consolarmi, forse
— con la crudeltà di ogni atto conseguente,
per spingermi più in fondo e più in dentro
nel mio dolore — hanno un senso
assolutamente oscuro.
Cosa vuoi suggerirmi e propormi, misteriosamente?
Forse qualcuno che possa sostituirti?
E questo qualcuno potrebbe essere qualcuno
che, come te, sostituisca per me il padre,
il padre di Pietro, il Primo Padre?
E perché non addirittura mio padre stesso?
Vuoi forse suggerirmi, attraverso
terribili e mute parole di giustizia,
l'identificazione tra una verità,
sempre inimmaginabile e incestuosa,
con tutta l'intera realtà?

La perdita dell'esistenza

L'interesse di mio marito per la sua industria
era nato con lui, non si distingueva da lui,
faceva un tutt'uno con qualcosa di inesprimibile

che era la sua vita col suo lavoro.
Se egli fosse nato contadino,
avrebbe avuto lo stesso interesse per la terra
e gli arnesi che servono a lavorarla;
se fosse nato marinaio (fino a un secolo fa)
avrebbe avuto lo stesso interesse per il mare e la barca.
Insomma, egli ha lavorato tutta la vita
a una grande industria ereditata dal padre
(suo creatore) spinto da un interesse... naturale.
Come ogni epoca storica, anche la nostra
ha ricostruito la natura, e quindi la naturalezza.
Da grande borghese dell'Alta Italia,
mio marito Paolo ha vissuto la sua natura con naturalezza
(quasicché appunto la sua fabbrica
fosse come la terra o il mare).
Il suo interesse per il proprio lavoro
e per il proprio guadagno (enorme,
e, come i nostri nemici lo definiscono, ingiusto)
è lo stesso che spinge ad agire nei sogni.
Necessario e indistinto. Insomma, egli
non ha mai avuto un interesse oggettivo,
puro e culturale per l'esistenza.
Quanto a Odetta, sono degli interessi
oggettivi, puri e culturali
i suoi culti famigliari?
Ne hanno sì, forse, l'ingenuità,
l'intensità, la mancanza di ogni tornaconto:
ma sono in fondo come esorcismi
rispetto a una vera religione,
o giochi rispetto a un vero lavoro.
Essa si è costruita dei calchi di tali interessi,
e con quei calchi si trastulla
(sentendone però forse il vuoto,
e non rendendosene conto che attraverso l'angoscia).
Pietro, lui, studia: è costretto ad avere

sia pure tra i muri del nostro migliore Liceo cittadino,
qualche obbligatorio interesse per qualcosa...
In questi giorni
sta leggendo il Convito... Può farlo
del tutto impunemente?
Insomma, nella mia famiglia, tutti viviamo
nell'esistenza come essa deve essere;
le idee attraverso cui giudichiamo noi stessi
e gli altri, i valori e gli avvenimenti,
sono, come si dice, un patrimonio comune
a tutto il nostro mondo sociale.
Io, in questo senso, ero peggiore di tutti.
È difficile dire come vivessi;
come, per vivere, mi bastasse la naturalezza del vivere;
occuparmi della mia casa, dei miei affetti,
quasi fossi una contadina, nel suo covo famigliare,
che lotta coi denti e con le unghie per l'esistenza!
Come potevo vivere in tanto vuoto? Eppure ci vivevo.
E quel vuoto era, a mia insaputa,
pieno di convenzioni, ossia
di una profonda bruttezza morale.
La mia grazia naturale (pare) mi salvava:
ma era una grazia che andava perduta.
Come un giardino in un posto dove nessuno passa.
Stava... nei miei occhi barbarici (pare),
nella mia bocca, nei miei zigomi alti e dolci...
nelle forme piene di una magrezza (ahi) di adolescente
manieristica... e probabilmente, sì, stava anche
nel mio cuore, timido, ma capace di sentimenti.
Tuttavia, lì, inaridiva.
Assomigliava all'invecchiare
(ai primi eccessivi pallori, alle prime
maledette rughe, ancora invisibili). Sarebbe inaridito
fino a seccarsi — coincidendo con la fine
di una vita inutile — se tu non fossi giunto.

Tu hai riempito di un interesse puro
e pazzo, una vita priva di ogni interesse.
E hai districato dal loro oscuro nodo
tutte le idee sbagliate di cui vive una signora borghese:
le orrende convenzioni, gli orrendi umorismi,
gli orrendi principi, gli orrendi doveri,
le orrende grazie, l'orrenda democraticità, l'orrendo
anticomunismo, l'orrendo fascismo,
l'orrenda oggettività, l'orrendo sorriso.
Ah, quante cose so di me — dirai. È una coscienza
acquisita per magia — e parlo come nel monologo
del personaggio di una tragedia!
Strano, il mio dolore ha gli accenti
della naturalezza e della verità,
che si hanno normalmente nei momenti mortali della vita:
non sembra contestarla. Forse perché ciò
che in me è stato distrutto dal tuo amore
altro non è che la mia reputazione di borghese casta...
Eppure, mentre tu mi accarezzi, comprensivo e spietato,
mi chiedo: A cosa vuoi spingermi?
A qualcosa che se da una parte può, in qualche modo,
risarcirmi e consolarmi, dall'altra non può, invece,
che ricacciarmi sempre più verso il precipizio
che ho cominciato a guadagnare
decidendo il mio adulterio con te?
Vuoi dirmi, forse, ragazzo come sei, che è possibile
la sostituzione del tuo corpo e della tua anima
col corpo e con l'anima di un ragazzo che ti somigli?
Che i suoi occhi abbiano per me la luce
azzurrina della libidine mescolata alla tenerezza?
E le sue grosse mani il peso rozzo e venerante
di chi, accarezzando, fa male senza accorgersene?
Che sia, insomma, un uomo cresciuto sotto i miei occhi...
come un figlio... fino a diventare
il giovane barbaro che non vuole ostacoli alla sua monta?

E perché, se dev'essere, per età, come mio figlio
(la sua nudità il sacrilegio, la sua erezione l'impossibile),
perché non addirittura mio figlio?
Questa scelta assolutamente estrema —
e senza più alcuna possibilità di tornare indietro —
è l'unico atto che può salvare una vita
dalla mancanza di ogni interesse
e dal vuoto riempito di valori tutti sbagliati?
Una vergogna morale spinta fino al punto
di toccare e concedersi al ragazzo più ragazzo di tutti,
— il proprio figlio divenuto uomo —
è l'unico modo per rovesciare ogni falsa giustizia,
e vivere, sia pure ingiustamente, nella verità?
Ma sono queste cose che io posso
anche solamente immaginare?

La distruzione dell'idea di sé

Tu sei dunque venuto in questa casa per distruggere.
Che cosa hai distrutto in me?
Hai distrutto, semplicemente,
— con tutta la mia vita passata —
l'idea che io ho sempre avuto di me stesso.
Se dunque da molto tempo
io avevo assunto la forma che dovevo assumere
e la mia figura era, in qualche modo, perfetta,
ora, che cosa mi rimane?
Non vedo niente che possa reintegrarmi
nella mia identità. Ti guardo: non mi ascolti
con imparzialità — perché tu non ti dividi in parti —
ma con dedizione — perché tu ti dai tutto a ognuno.
Come può, tuttavia, la tua presenza consolatrice
essere così pura, tanto da manifestare,
quasi, una chiara volontà di distacco?

A che serve consolarmi, se tu, volendolo,
potresti rinviare, anche magari per sempre,
la tua partenza? Invece tu partirai:
su questo non c'è il minimo dubbio.
La tua pietà è dunque subordinata
a qualche altro misterioso disegno.
Vuoi forse dirmi (non parlando, ma semplicemente
attraverso il fatto che sei un ragazzo)
che tu potresti essere sostituito, ora,
da mio figlio o da mia figlia?
Proposta completamente folle (preordinata,
forse, da qualche mia oscura volontà)
eppure giusta, se, benché realizzata
(il membro nudo di mio figlio, la vulva nuda di mia figlia),
non fosse che un simbolo: e se, attraverso essa,
tu mi esortassi alla perdizione più totale,
a mettere la vita fuori di se stessa,
e mantenerla una volta per sempre
fuori dall'ordine e dal domani,
facendo di tutto questo la sola reale normalità.
Forse perché chi ti ha amato deve
(come del resto ogni uomo — che non lo sa)
poter riconoscere a tutti i costi la vita,
in ogni momento? Riconoscerla, e non soltanto
conoscerla, o soltanto viverla?
Sono — dici generosamente, nel mio banale linguaggio borghese —
le eccezionalità più impensabili,
più intollerabili, più lontane dalla possibilità
di essere concepite e addirittura nominate,
che si presentano come i mezzi più efficaci
per riconoscere la vita?
Eccezionalità che, tuttavia, non possono
essere che dei simboli
— se nella realtà, come ogni cosa reale,
sono fatte di nulla e destinate al nulla?

Complicità tra il sottoproletariato e Dio

Ti saluto per ultima, proprio
cinque minuti prima di partire,
che già le valigie sono pronte,
e il taxi è stato mandato a chiamare.
Per ultima e in fretta: perché? Forse perché
la tua povertà e la tua inferiorità sociale
hanno per me qualche valore?
E quindi io con te mi spendo meno,
come se il tuo corpo fosse di seconda qualità,
e il tuo spirito avesse il guizzare inquieto,
stupido, angelico e torpido di una bestia?
No, niente di tutto questo.
Ti saluto male, in fretta e per ultima,
perché io so che il tuo dolore è inconsolabile
e non ha neanche bisogno di chiedere consolazione.
Tu vivi tutta nel presente.
Come gli uccelli del cielo e i gigli dei campi,
tu non ci pensi, al domani. Del resto,
ci siamo mai parlati? Noi non abbiamo
scambiato parole, quasi gli altri
avessero una coscienza, e tu no.
Invece, evidentemente, anche tu,
povera Emilia, ragazza di basso costo,
esclusa, spossessata del mondo,
una coscienza ce l'hai.
Una coscienza senza parole.
E di conseguenza anche senza chiacchiere.
Non hai un'anima bella, tu. Per tutto questo
la rapidità e la mancanza di solennità
nei nostri saluti, non sono che l'indice
di una misteriosa complicità tra noi due.
Il taxi è arrivato...

Tu sarai l'unica a sapere, quando sarò partito,
che non tornerò mai più, e mi cercherai
dove dovrai cercarmi: non guarderai nemmeno
la strada per dove mi allontanerò e scomparirò,
e che tutti gli altri, invece, vedranno, stupiti,
come per la prima volta, piena di un senso nuovo,
in tutta la sua ricchezza e la sua bruttezza,
emergere nella coscienza.

Parte seconda

1 Corollario di Emilia

Emilia, con una grande valigia di cartone in mano, esce dalla casa, chiudendo la porta alle sue spalle, in religioso silenzio, come se scappasse. E infatti se ne va di nascosto. Si guarda intorno. C'è un profondo silenzio. Resta incerta. Riapre appena appena la porta, osserva dentro. La fuga dei corridoi e delle stanze, fino al grande soggiorno inondato dalla triste luce del sole, è tutto vuoto e deserto. Richiude un'altra volta la porta. Un'espressione soddisfatta, dura, d'invasata la deforma: c'è anche, in questa espressione, un po' di sacra furbizia.

Scende in punta di piedi le scale, portando la valigia come le contadine portano il secchio dalla fontana: tutta ripiegata da una parte, col braccio tirato, la mano rossa e gonfia; e l'altro braccio, quello libero, annaspante stupidamente nell'aria, senza pudore.

Percorre tutto il tratto di strada che attraversa il giardino, guardandosi indietro, furba, incerta, allungando il passo, annaspando ancora di più col braccio sinistro libero, per mantenere l'incerto equilibrio: ma cosa c'è dentro quel valigione di cartone? del piombo? Ci sono tutte le sue ricchezze e i suoi ricordi, povera Emilia. Se li trascina dietro eroicamente e, ormai, inutilmente.

Eccola sulla strada. La stessa in cui il giorno prima, o pochi giorni prima, o insomma, in un inde-
finito tempo anteriore, il taxi dell'ospite era scomparso.

C'è lo stesso silenzio, la stessa luce. Gli abitanti di
quel luogo consumano la giornata secondo il ritmo
degli stessi ideali. Balconi e pergole liberty, poggioli
novecento, angoli di cemento, riquadri di piastrelle,
si alzano contro il cielo, sopra i giardinetti dal cupo
e stento verde dei piccoli pini presuntuosi, e addirittura di qualche orribile palma.

Essa percorre tutto il lungo rettilineo di quella
prospettiva, lentamente, arrancando col suo valigione — che cambia di mano, ogni tanto — finché
rimpicciolisce, in fondo, e scompare.

. . . .

. . . .

Giunge in una grande piazza tonda, con al centro un'aiuola verde, e intorno una raggera di strade che si aprono tutte uguali, con le stesse prospettive. Grandi case, e, sotto le fronde dei castani cittadini tutto è reso impreciso dalla bruma. Tram
e autobus girano senza sosta intorno alla piazza, e
fiumi di automobili; il rumore dei motori è un fra-
stuono infinito, e ora ci si mettono anche delle sirene: sirene di mezzogiorno, o della sera, o di qualche
altra ora del tempo delle fabbriche. La gente intorno a Emilia sembra non ascoltare e non vedere niente; come del resto Emilia stessa. Aspettano tutti,
diligenti, assenti e dignitosi, l'arrivo del loro mezzo
pubblico di trasporto, sotto una pensilina. Eccolo
che arriva, inospitale, obbligatorio, luccicante; ed

eccolo che riparte col nuovo carico, perdendosi per una di quelle strade che partono a raggera dalla grande e affollata piazza rotonda verso un fondo di sospese foschie...

. . . .
. . . .

L'Emilia se ne sta sotto un'altra pensilina — più grande, questa, con un lungo muro in fondo, e i sedili di pietra. Ha ai piedi la sua valigia scalcagnata. Se la tiene stretta contro il polpaccio, come un cane che non perde un momento d'occhio ciò che gli hanno affidato. La gente, intorno a lei, che aspetta, anch'essa con le sue valigie, le assomiglia più dell'altra. Sono contadini come lei, che vanno e vengono da Milano ai loro piccoli paesi della Bassa. Infatti il mezzo che ora arriva è una grossa corriera, vecchia, quasi in disuso. Arriva dopo un'attesa interminabile e, dopo un'altra attesa interminabile, quando da tempo è già piena di tutta quella gente, raccolta, quasi in religioso silenzio, riparte.

. . . .
. . . .

La corriera si ferma nella piazzetta ai margini di un paese. La piazzetta è tutta bianca, desolata. A un angolo c'è una pizzicheria, davanti, una vetrina piena di bare, in mezzo un bar, con le scritte al neon, i vetri scintillanti, e, dentro, la vecchia, stantia, fredda miseria paesana. Scende lentamente dalla porta anteriore della corriera, una fila di gente; vecchi contadini, dalle collottole di porci, donne vestite di scuro, qualche studente, un soldato, e infine, con la sua valigiona che la fa andare sbilenca, l'Emilia.

I suoi compagni di viaggio si disperdono nel silenzio del paese, lungo straducce strette e lunghe, ma accuratamente asfaltate, e con gli intonachi delle case di un secolo prima tutti ridipinti da poco di colori chiari e freddi.

Anche Emilia si perde giù per una di quelle strade, dove c'è solo qualche bambino infagottato di panni non poveri, come nelle fiabe, e qualche cane. In fondo, si intravede la campagna, uno scenario tremolante e trasparente di pioppi il cui primo verde ha l'incertezza del colore della terra, e le gemme sono arricciate e rade come le foglie secche.

Uno stupendo velo di nebbia, fa di quelle file di pioppi che appaiono lontani, uno scenario fin troppo raffinato, per una solitudine sacra perché contadina.

. . . .
. . . .

Il paesaggio è lo stesso per cui, qualche tempo prima, il padre, Paolo, e l'ospite, si erano spinti con la loro macchina, fino sul Po; o, se volete, il paesaggio è lo stesso attraverso cui Renzo, camminando a piedi, ha raggiunto l'Adda, secondo il racconto delle più poetiche pagine del Manzoni.

Ma c'è qualcosa di innaturale nel numero immenso di pioppi che incorniciano prati e cielo, avanti, di dietro, a destra, a sinistra; cornici di pioppi grandi come piazze d'armi o spiazzi orientali, oppure stretti e misurati come piante di cattedrali; e che traspaiono gli uni sugli altri all'infinito: una fila sghemba traspare su una fila dritta; una fila dritta su un'altra fila parallela ad essa; e questa su

una fila perpendicolare; e poiché il terreno è on-
dulato, questo trasparire di file di pioppi su file di
pioppi, non ha fine; è un anfiteatro immenso, come
nelle stampe delle antiche battaglie, e, nella pace innaturale e profonda (innaturalezza e profondità dovute certamente oltre che all'opera della natura — che lavora lì, passiva e potente, come nel
fondo di un mare — anche all'industria della cel-
lulosa), compaiono, qua e là, come mucchietti di
cose preziose, i severi campanili con accanto il pa-
sticcio della loro cupola, di un marrone rossiccio,
quasi ruggine, e con screziature di sanguigno (il
seicento e il settecento di luoghi severi, ora sta-
gnanti ad aspettare la loro fine).

È attraverso questa campagna — per una lunga e
stretta strada accuratamente asfaltata — che adesso
l'Emilia cammina, trascinandosi dietro il suo valigione. Cammina per molto tempo, ogni tanto soffer-
mandosi, e cambiando di mano paziente il peso:
sola, in tutta quella vastità di pioppi, marcite, cielo
e cartelloni pubblicitari. Finché, giunta a un piccolo
bivio, in cui, dalla strada asfaltata, si stacca una
strada di terra, oscura, con al centro una lunga spina dorsale d'erba (l'antico tracciato dei carri), svolta, e affrettando il passo, si avvia verso un casale,
che, grande e rossiccio come una caserma, si alza in
fondo alle file di pioppi, sul malinconico verde.

. . . .

. . . .

Nel cortile del casale non c'è nessuno. Un sole
velato lo riempie dappertutto, quasi senza lasciare
un filo d'ombra in alcun angolo.

Ha tutto intorno dei lunghi edifici, bassi, dai tetti rossi, da una parte una grande tettoia, con le stalle (silenziose) all'ombra dei torrioni tondi di due silos, cadenti, severi come quei campanili, che appaiono lontani, oltre le infinite file dei pioppi; dall'altra parte una casa d'abitazione, con le imposte tutte chiuse, dove solo la porta a vetri, grigia, è schiusa, ma coperta da una triste e immacolata tendina. Davanti c'è un casolare, forse un'altra stalla, e un mucchio di mattoni rossi, tra arnesi, rosso sangue, che sembrano abbandonati lì per sempre ad arrugginire; e, tra una costruzione e l'altra (fantastiche e minuziose, come caserme principesche del settecento), le lievi prospettive dei pioppi, tra la bruma, su ondulazioni complicate da alti argini, da alzaie, forse per la presenza di un fiume.

Su un mucchio di sabbia, in mezzo al cortile, dove restano le tracce di un corroso piancito di cemento, giocano due bambini, ingolfati nei loro panni poveri ma puliti, come nelle illustrazioni delle favole. Hanno le facce rosse e inespressive, già adulte e giudiziose, dei loro genitori contadini. Essi guardano con una curiosità senza stupore, forse per la timidezza e la buona educazione, apprese in casa o alle vicine Elementari, Emilia che arriva, entrando in silenzio in quella grande corte.

Lei li guarda a sua volta in silenzio.

Per tutta la strada aveva camminato tirandosi dietro la sua valigia, come spinta dall'invasata determinazione di una ricattatrice, di una infanticida. Adesso è lì, ferma, davanti al cortile della sua vecchia casa, che il suo silenzio e la sua paura rendono ancora più sacra. Viene un cane e l'annusa.

Essa muove ancora qualche passo verso l'interno della corte — mentre già alla porta si vede alzarsi la bianca tendina ricamata, e schiacciarsi contro i vetri qualche viso preoccupato e ostile — dimenticando, per la prima volta, di prendere in mano la valigia — che rimane abbandonata sul terriccio, gonfia, sola e inutile.

In fondo, oltre il mucchio di mattoni rossi e degli attrezzi, c'è una vecchia panca — bruciata dal sole, marcita dalla pioggia — restata lì chissà da che tempi dell'infanzia di Emilia. È questa panca che essa, riconoscendola, guadagna con un passo che è tornato il passo invasato e ostinato di prima, e vi si mette a sedere, restando rigida e immobile, nella luce estranea del sole.

2 Corollario di Odetta

La casa è silenziosa e deserta. È vero che è sempre così, perché è molto grande, per le poche persone che vi abitano, ed è stata cura di Lucia insegnare alla servitù a starsene zitta e appartata. Tuttavia nel silenzio e nel vuoto di ora vi è qualcosa di speciale. Come se la casa fosse realmente disabitata.

L'ospite non solo sembra aver portato via con sé le vite di quelli che l'abitano, ma sembra averli divisi tra loro, lasciando ognuno *solo* col dolore della perdita, e un non meno doloroso senso di attesa.

Odetta ha l'aria di essere dunque sola in tutta la casa. La percorre su e giù, come cercando qualcosa nel vuoto. Ma sia l'interno della casa che il giardino, sono addormentati, pare, in un silenzio definitivo e impartecipe.

La faccia di Odetta, in queste sue vane esplorazioni, resta però indecifrabile. Anzi: una specie di buon umore (un sorriso furbo e... umoristico, in fondo agli occhi) le deforma i lineamenti, ambiguamente.

Va in fondo al giardino, raggiunge il punto dove lei e i suoi, sporgendosi oltre la bassa cancellata rivestita di piante rampicanti, avevano visto l'ospite per l'ultima volta, allontanarsi e sparire — e guarda verso la prospettiva della strada vuota.

Cosa cerchi in quel vuoto, non è chiaro. E quel vuoto è più triste, offensivo, normale che mai. Cemento, materiali preziosi, spigoli tetramente liberty, assurde e stente conifere, si allineano in quella lunga prospettiva senza un solo spiraglio di speranza e di realtà.

Odetta osserva sardonicamente.

Poi si rigira sulle punte dei piedi, e, con un passo artefatto e buffo (un lungo passo di gatto stivalato), riguadagna la casa. L'ultimo tratto lo fa quasi di corsa. Ma, arrivata al centro della sala di soggiorno, si ferma di colpo. E si guarda intorno, stringendo le labbra (sempre in modo assai buffo), e quasi emettendo con le labbra chiuse e tirate, una specie di canto. Resta ferma così a lungo. Poi si muove ancora.

Stavolta va nella camera del padre. Dove però non si ferma che un attimo. Un attimo, il tempo di contare, sia pure con una certa lentezza, fino a tre: uno, il punto dove stava disteso il padre, due, il punto dove sedeva lei, Odetta, e tre, il punto dove veniva a mettersi il giovane ospite. Data quella fulminea occhiata, Odetta scappa, letteralmente scappa, fuori, nel giardino, ma dalla parte dove il padre usava sedersi sulla lunga poltrona di vimini, durante la convalescenza.

Qui il sopralluogo di Odetta è veramente lungo e complicato. Essa osserva il posto dove stava disteso il padre, il posto dove stava seduto l'ospite e il posto dove stava seduta lei.

Non c'è traccia, nell'erba (tornata quasi selvaggia, come nella notte dei tempi) di quelle « antiche » sieste, di quel meriggiare così profondamente goduto, dove rinasceva una vita e nasceva un amore. Ma in Odetta, evidentemente, i ricordi sono vivi e precisi.

Va nel punto dove stava disteso il padre, e, cercando di essere il più esatta possibile, ne misura coi passi la distanza dal punto in cui l'ospite stava seduto; e quindi dal punto dove stava seduta lei. Poi misura, sempre nello stesso modo, la distanza tra il punto dove stava seduta lei, e il punto dove stava seduto l'ospite. Ma non è contenta (fa delle buffe smorfie di scetticismo con la bocca, arricciando anche il naso). Così riscompare, di corsa in casa, e si spinge fino in cucina.

Lì c'è la nuova serva, che, per un caso indubbiamente non comune, si chiama Emilia come la precedente. È una ragazza non più giovane, piccolina (con un viso pallido, distrutto, e grandi occhi pietosi). Odetta le chiede un metro, e la nuova serva, silenziosa e pronta, glielo dà.

Con quel metro in mano, trionfante, Odetta ridiscende nel giardino. E lì riprende, stavolta con esattezza millimetrica, le sue misurazioni: interrompendosi solo per fare, soprappensiero, e non senza una punta di umorismo, dei rapidi calcoli. Non manca neanche di fare un risolino fra sé e sé.

3 Al casolare

Una luna rosea sta sorgendo in fondo alle file di pioppi; non sembra nemmeno la luna, ma un pezzo sanguinante e informe di qualche grande e soave corpo disfatto.

La sua luce getta sul cortile del casale, dove peraltro brilla una piccola lampadina perlacea, una luce dalla insostenibile dolcezza.

Il casale sta intorno, rossiccio e corroso; il rustico è scomparso, nella semioscurità, e la sagoma di quei due silos, di quelle stalle, di quelle muraglie di mattoni rossi, è quasi solenne.

Nel mezzo di questa specie di scenografia corrosa, in silenzio, sta seduta sulla sua panca Emilia: *nella stessa posizione che aveva preso quando si era messa a sedere.*

La sua valigia non è più in mezzo al cortile. Un po' di luce filtra, del resto, dalla porta a vetri della casa colonica, e le tendine bianche di bucato sono tirate su. Da oltre i vetri, si intravedono le facce della gente di casa che guarda: verso Emilia, naturalmente. Sono un vecchio, una vecchia col fazzoletto nero, una giovane sposa, un uomo ancora giovane, ma grasso e troppo rosso, e, a filo del vetro, in basso, i visi, anch'essi tondi e rossi, dei due ragazzetti, diligenti e inespressivi. Sono ombre grigie o appena rosate sotto il bianco delle tendine. La luna non le raggiunge, mentre invece fa splendere la corte, col suo cemento corroso, i suoi mucchi di sabbia, i suoi mattoni rossi, come un piccolo lago o come le preziose rovine di una vecchia chiesa.

4 Dove si descrive come Odetta finisca
col perdere o tradire Dio

Odetta sta ora china su una grande cassapanca (nella sua piccola camera, lì dove per la prima volta ha conosciuto, nel corpo del giovane ospite, l'amore). Questa cassapanca, Odetta, con la nuova pazienza distaccata e un po' buffoncella, con cui agisce in questi giorni della sua vita, sta svuotandola completamente.

E non è affare da poco, perché in quella cassapanca è contenuta tutta la sua infanzia, rappresentata da un'infinità di cimeli, alcuni facilmente riconoscibili, altri solo riconoscibili a lei, Odetta, e altrimenti senza significato, valore e addirittura forma.

La cassapanca lentamente si svuota, finché in fondo, proprio in fondo, e quindi letteralmente sepolto, appare l'album delle fotografie. Essa lo tira fuori, quasi con sgarbo, come si fanno i gesti abitudinari senza più incanto, e comincia a sfogliarlo.

Presto giunge alle pagine dove sono infilate le piccole fotografie fatte al padre e all'ospite: fotografie sbiadite e sfuocate, come se fossero molto più vecchie di quello che in realtà sono, Odetta le osserva a lungo, a una a una (sono una decina).

In una, l'ospite ha smesso di leggere il libro a cui era intento, ha alzato la testa, e sorride; in quella posizione, con inavvertito gesto giovanile e virile, ha allargato le gambe: e la bellezza del suo corpo appare in tutta la sua violenza. Odetta passa l'indice, magrolino, su quel corpo, come per riconoscerlo e accarezzarlo insieme. È un gesto diligente, ma incerto e puerile, che segue malamente il disegno della figura fotografata, fino a sfiorarne il grembo. Ma a questo punto, d'improvviso, Odetta chiude la mano, stringendo il pugno.

Si alza, e va a gettarsi sul letto, con la faccia contro il cuscino. Non è chiaro se pianga, o faccia per scherzo. Ma quando, dopo molto tempo, si rivolta con la faccia in alto, irrigidendosi sopra il letto, la sua espressione è del tutto mutata: non ci sono più smorfie, sorrisi, lezii, umorismi, insomma distrazioni o manovre di difesa. Essa è diventata inespressiva, immobile, attenta: guarda il vuoto, in alto, e solo una specie di stupore non l'ha ancora abbandonata alla completa atonia.

.   .   .   .

.   .   .   .

Il buio che invade la stanza sembra avere quasi un significato cosciente: il passare del tempo, che segue una sua inutile fatalità: la sera è fatta per dei doveri improrogabili, e chi vi manca sente il dolore di una libertà che gli pare atroce. Il buio è una lezione: una lezione che dà ragione ai padri e ai padri dei padri, che predicano normalità e dovere. Infatti non manca una campana, sia pur lontanissima, e delle voci, più vicine (mescolate forse a qualche indefinibile musica, accento di vita famigliare, al termine di una giornata di lavoro); e anche dei segni di vita dentro la casa.

Ma Odetta sembra insensibile a tutto: alla lezione tragica del buio, e alle consolazioni che esso suggerisce, ai doveri mancati e alla terribile libertà del nulla con cui essa ha sostituito la vita quotidiana.

Resta ferma, distesa sul suo letto, con il viso in alto, il collo tirato.

È così che la nuova Emilia la trova, quando viene a chiamarla per la cena, e accende la luce. Una luce veramente inopportuna e assurda, perché scopre una realtà che non solo è più sostenibile, ma più vera, se protetta dal buio.

Così la nuova Emilia, preoccupata — coi suoi grandi occhi già perpetuamente, di per sé, spaventati — scuote prima lievemente e poi, fin dove glielo permette il rispetto, un po' più forte, Odetta. Odetta però non la vede e non la sente. Toccandola sulle braccia — per convincerla, povera nuova Emilia, ad andare a cena — essa si accorge che un pugno, il pugno della mano destra, è strettamente chiuso.

. . . .
. . . .

Per quanto ciò possa sembrare ormai illogico, tutta la famiglia è intorno al capezzale di Odetta (è giorno, la luce entra trionfale dalla porta a vetri). Ognuno di essi è comunque solo, a compiere il suo dovere famigliare. C'è anche — anzi è il protagonista — il vecchio medico di famiglia, che, appena finita la sua visita, guarda quella povera personcina distesa, e raccoglie, scettico e desolato, i suoi strumenti.

In fondo al braccio disteso contro il fianco, e tenuto ben aderente al corpo, il pugno di Odetta...

. . . .

. . . .

Ormai nella vita di Odetta non cambia più nulla: si è stabilita e fissata per sempre in quel modo
assurdo e deludente. Essa è lì, nel suo letto, ferma,
con la faccia in alto, gli occhi senza alcuna commo-
zione, con solo un po' di spavento — fissi nel vuoto
e il pugno stretto contro il fianco.

Ma ecco che la nuova Emilia, entra spaventa-
ta dentro la stanza (ora vuota), aprendo la porta
con la delicatezza dei contadini poveri — perché
è contadina anche lei — che si sentono sempre in
colpa, e hanno sempre paura di disturbare. Entra
con gli occhi sgomenti, perché, se davvero stavolta
la colpa fosse sua, sarebbe proprio una grande e
terribile colpa.

Guarda verso il letto dove la padroncina è distesa, poi guarda fuori nel corridoio, poi di nuovo
verso il letto, dove quel corpo distratto non si è
nemmeno accorto di lei.

Dalla sua bocca, esce, ingenuo e affannato un
richiamo: « Padroncina! » come per avvertirla, di
un nuovo pericolo, o di una nuova pena. Ma la voce
le resta strozzata nella gola, e gli occhi le si ingran-
discono, lucidi di amore spaurito.

Si fa infine da parte, e nella stanza entrano due
uomini (che, in quella casa, sembrano di un'altra
natura, coi lineamenti duri e massicci di una razza
diversa) vestiti di bianco, con una barella.

Usando una delicatezza che è solo indifferente

abilità, prendono il corpicino di Odetta (come se fosse una cosa) e lo introducono nella barella bianca. Così, rapidi come sono venuti, escono.

Fuori, in fondo al giardino, un altro dei loro li attende, al volante dell'ambulanza: che mette subito in moto. La barella, col suo contenuto, è introdotta nella vettura; e questa parte, bianca e silenziosa.

Infila veloce, per scomparirvi, la stessa strada lungo la quale si era perduto un giorno l'ospite: la strada sempre uguale, in una sua ora silenziosa e triste in cui non accade nulla.

. . . .

. . . .

Ora portano Odetta, su una portantina a rotelle, lungo il corridoio bianco di una clinica — una clinica moderna, ricca e accogliente.

Lungo il corridoio si intravedono rapidi interni, invasi dalla luce meridiana e dalla pace. Un letto bianco con un viso bianco. Una seggiola bianca con un uomo in pigiama seduto. Il gesto di una infermiera che trattiene un malato che si vuole sollevare, annaspando e cercando qualcosa. Una faccia che origlia, lunga e furba, contro il capezzale, osservando il passaggio della portantina con la coda dell'occhio.

In fondo al corridoio è la stanza di Odetta: la stanza dove Odetta, chissà perché, ha voluto venire a finire.

Linda, specchiante, luminosa, come ogni opera dovuta alla cattiva coscienza. Perché, non c'è dubbio, questo *droping out* di Odetta trova consenziente tutta Milano: c'è una tacita intesa tra lei e il potere (qualunque questo sia), che costruisce cliniche — una clinica molto costosa nel caso di Odetta, dato che anche tra i diversi ci sono i diversi.

Che cosa ha spinto Odetta a essere così rinunciataria? A stringere un patto di alleanza coi suoi persecutori? Ad aiutare, escludendosi di propria volontà, con tanta gentilezza, premura, e, si direbbe, tanta furba docilità di animale, coloro che vogliono escluderla? Perché si è prestata a soffocare lo scandalo che essa stessa ha dato, con la stessa diligenza ombrosa con cui è sempre vissuta?

Ma non c'è proprio da aspettarsi che, ora o in futuro, Odetta voglia dare qualche soddisfazione a domande come queste: essa dimostra addirittura di ignorare coloro stessi che la adagiano dalla barella sul suo lettino.

Ciò a cui essa invece diligentemente provvede — senza farlo naturalmente notare — è di tenere il pugno ben chiuso e ben stretto contro il fianco.

Accanto al suo letto c'è una grande finestra, da cui entra una luce tenera eppure cattiva.

Attraverso tale finestra si può godere una vista straordinariamente uguale a quella che si gode dal giardino della casa di Odetta.

Di questa strada, dal finestrone, si vède solo il lato destro, contro il vuoto, perché evidentemente la strada è in lieve discesa, e tutto dunque finisce col cielo (un cielo d'ogni giorno, forse grigio, forse celeste, indubbiamente senza colore). Da quel vuoto, si riflette sulla strada una profonda tristezza — quasi che in quel vuoto mancasse qualcosa che dovrebbe essere invece lieto: per esempio un lungomare, con un dolce e mite mare meridionale, per lunghe villeggiature veramente liete. Ma non è questo che conta; né la realtà di quelle case — costruzioni di lusso intorno a una clinica di lusso; né la privatezza gelosamente custodita di quelle famiglie di professionisti o di industriali milanesi, che tengono addirittura le serrande abbassate, e solo qualche serva osa ogni tanto affacciarsi, un attimo, ma per riscomparire subito nell'ombra impenetrabile degli interni.

Non conta nulla di tutto questo, che, per quanto enigmatico, ha un senso, e, per quanto triste, una storia.

Ciò che conta è ciò che è, e, ciò che è, è ciò che appare. L'apparizione è misteriosamente geometrica, anche se irregolare. Ogni punto ha una distanza esatta da ogni altro punto. Bisogna misurare quella distanza; e il lavoro è lungo, perché i punti sono infiniti; esattamente centocinquanta, per esempio, sono le finestre (con le serrande abbassate o semiabbassate), di cui quaranta col balcone. Ad una sola finestra è esposto, penzolante, come morto, un tappeto rosso. Le punte delle piante — quasi tutte conifere — che affiorano dai sottostanti giardinetti dei primi piani sono settantacinque. Gli angoli delle case trenta; le pareti venti; tre di queste venti pareti sono di mattonelle di un tenero color nocciola; sette sono grigiastre, di marmo o finto marmo; sei rosee, lontane, e quindi malamente decifrabili; quattro di un colore tra il lilla e il rosa, livido, contro cui più tristemente spiccano i verdi cupi e natalizi dei pini.

I pali della luce — arcuati, in cima, in modo quasi civettuolo, come nei luna-park — col loro tubo opaco per la luce al neon — sono sei: e scompaiono digradando giù per la discesa della strada della clinica. Forse, in fondo a quella strada, c'è una chiesa, perché si sente improvvisamente scampanottare a festa, lugubremente, con il falso tripudio dei carillon.

Gli occhi di Odetta guardano tutto quel vuoto riempito dall'apparizione di quell'architettura e di quei suoni. Il pugno, al suo fianco, è accanitamente chiuso.

5 Pustole

È passato altro tempo. (Forse sono passati giorni, forse mesi o forse anche anni.)

Emilia è sempre seduta sulla sua panca, contro la parete rossiccia, piena, fino agli occhi e alla radice dei capelli, della sua pazzia.

Qualcosa è intanto mutato, nella casa colonica, rossa, guerresca e tranquilla come una piazza d'armi abbandonata, intorno a lei: ossia, la gente della casa non solo si è abituata alla sua strana presenza, ma ha maturato piano piano l'idea deferente e devota che si è ormai fatta della sua congiunta.

Infatti — poiché chi è superstizioso è sempre, nella sua superstizione, realistico — vicino ad Emilia seduta, su uno dei mattoni sanguigni della piccola maceria, brilla un cero — come sotto un'immagine sacra. Un umile, provvisorio cero, se volete, senza alcuna solennità. Messo lì tanto per dare un nome e un senso all'avvenimento. Le vecchie della casa, poi, hanno preso confidenza con quella nuova Emilia; non se ne stanno più a origliare, sospette, dietro le tendine bianche, ma sono nel cortile: e qualcuna sorveglia l'Emilia, qualcun'altra lavora — tutte in una speciale confidenza col fenomeno che accade nella loro casa, con quell'Emilia muta, assorta e come bruciata dalla febbre.

Sembra una cosa già abitudinaria anche il fatto che, dal portone aperto in fondo alla casa colonica, dalla carreggiata bianca sul verdolino dei prati dei pioppi, venga avanti un gruppo di vecchie e di vecchi, quasi si trattasse di un gruppo di pellegrini. Sono evidentemente vicini di casa, o gente di qualche paese lì accanto, il cui campanile traspare, con la sua lunga cupola marrone venata di rosso (e gli ornamenti sontuosi e micragnosi dei secoli della Controriforma), in fondo alle file dei pioppi.

I nuovi arrivati vengono avanti in una specie di processione, fino a fermarsi in cerchio intorno all'Emilia. In mezzo a loro — la si nota ora, perché gli altri le fanno largo intorno — c'è una donna di mezza età, che sembra vecchia (coi vestiti neri della festa, le calze di seta, la veletta traforata), che tiene in braccio un bambino malato, con la faccia patita e umiliata tutta piena di piccole piaghe rosse, o di pustole secche.

Emilia sembra non vedere niente. E se i suoi occhi si posano finalmente sul malato, lo fanno come se egli non esistesse realmente, ma non fosse che un'apparizione. Essa, tuttavia, lo guarda a lungo, con diligenza — come se compisse un dovere, in qualche modo, più burocratico che sacro. La sua partecipazione alla cerimonia in cui essa stessa è la santa, avviene attraverso i medesimi modi con cui gli altri l'accettano: quasi come qualcosa di codificato, di appartenente agli atti di una immobile e cieca santità. Infine — assente e quasi cattiva — Emilia fa, verso il bambino piagato, un lento segno di croce.

Tutti gli occhi dei contadini sono puntati sul bambino, in avida attesa di quello che, infatti, succede: il bambino comincia ad agitare braccia e gambe, guardando piangendo sua madre, e cerca dibattendosi di divincolarsi dal suo abbraccio, e scivolare lungo il suo fianco, fino a mettere piede a terra. La madre, trepidante, e col viso pieno di una già consacrata gioia divina, lo lascia fare e si china a guardarlo. Il bambino mette i piedi a terra, reggendosi dritto, appena traballante: il suo viso è tenero, dolce, come appena lavato: delle pustole che lo sfiguravano non rimane la più piccola traccia. Tutt'intorno allora, i presenti, cadono in ginocchio, alzando alte grida di ringraziamento e di gioia.

6 Corollario di Pietro

Pietro è solo nella sua camera. Sta seduto sul letto dove dormiva l'ospite, e tiene sulle ginocchia il grosso volume illustrato di pittura contemporanea, che un giorno i due ragazzi avevano contemplato insieme.

Egli vi cerca, sfogliando le pagine con attenzione e quasi avidità, qualcosa che veramente lo interessa, ma che per la precipitazione stenta a trovare. È la riproduzione del quadro di Lewis. La ritrova, e comincia a osservarla pieno di una oscura buona volontà: come se la volesse interrogare, o come se la sua decifrazione fosse la soluzione di un oracolo.

Ma cosa può rispondere quella povera riproduzione di un quadro imagista del '14?

Anzi, al contrario, essa sembra aver perso tutto quel parlante incanto, quella tensione significativa e splendidamente sovraccarica di senso, che aveva affascinato e quasi commosso Pietro la prima volta che insieme all'ospite l'aveva vista.

Quelle superfici colorate (così splendidamente consunte, come se la materia su cui erano·state dipinte fosse una materia sublime appunto per la sua povertà: del cartone, o della carta di poco prezzo, che facilmente ingialliscono), quei contorni precisi, fatti di un segno solo, a « scomporre » la realtà se-

134

condo una tecnica tra cubista e futurista, ma in realtà né veramente cubista né veramente futurista — appartenente, insomma, a una specie di civiltà della « scomposizione » (ma in realtà pura e ordinata come negli antichi artigiani — a dire quanto severe fossero le avanguardie del primo novecento): tutto questo sembra scaduto, deprezzato, deludente, impoverito.

Non si tratta che di una bella, elegante, povera cosa: un piccolo enigma inutile, dato che il senso cui si riferiva è un senso storico che sembra non aver più valore: e quindi sta lì come una reliquia, senza riferimenti.

Eppure Pietro vi si accanisce sopra, come a ricercare il senso non solo storico, cui tutti questi segni così rigorosi e precisi si riferivano; ma anche il senso che aveva avuto peso per lui, e per cui quel quadro era stato una rivelazione, solo poche settimane, o pochi mesi prima.

Le campane di tutti i paesi della Bassa suonano il mezzogiorno. Il silenzio dei pioppeti così, si fa festoso — come si deve: e un senso acutamente famigliare anima le cose, che tutte, dunque, significano pace, regolarità, rassicurante valore delle abitudini antiche.

Anche nel casolare, dove Emilia è seduta, immobile, sulla sua panca, lo scampanio del mezzogiorno porta quest'aria di tranquilla alacrità. Ci si riposa, si mangia.

La porta con le sue tendine di bucato si apre, e, come per una specie di rito, vengono fuori le vecchie della casa, fedelmente seguite dai due ragazzini dalle facce adulte: portano il pranzo per l'Emilia.

È un bel pranzetto, portato su un cabaret, forse di plastica, disegnato a grossi fiori — a differenza dei pranzi portati agli uomini al lavoro, avvolti nei fazzoletti annodati. C'è del pollo, delle salsicce, della cicoria cotta in padella e un piatto di pomodori freschi.

Fiere di quel loro pasto, a passo deciso ma non affrettato, le donne di casa portano il pranzo alla loro santa: e i bambini, rubicondi e spenti, seguono col quotidiano interesse quell'operazione così dolcemente mista di sacro e di famigliare.

Ma stavolta, adulti e bambini, sono attesi da una inaspettata delusione.

Emilia guarda torvamente verso i cibi che, sull'elegante cabaret, le vengono offerti, e non batte ciglio, non muove un muscolo.

Come si fa con una sordomuta, allora le donne fanno larghi cenni, quasi a dire: « Ecco, ecco qua, guarda quanti piatti pieni, forza, dài, mangia, su. » Ma niente. Anzi, Emilia stacca lo sguardo dai cibi, e si fissa nel vuoto. Le donne cominciano a preoccuparsi, mentre una grande pena le prende. La più vecchia, soprattutto, poverina, con gli occhi lagrimosi di bambina, insiste più delle altre. Proprio lei — che dovrebbe ben sapere, alla sua età, come in conclusione niente al mondo sia necessario, e che il vivere non è un dovere — si affanna a convincere Emilia a mangiare, a prendere almeno qualcosa, per tenersi su — con gli stessi argomenti con cui si convince a mangiare, per sopravvivere — in nome della rassegnazione e dei diritti della vita — chi ha appena avuto qualche lutto e ne sta piangendo.

Ma Emilia non si lascia per nulla convincere, come invece si lascerebbe convincere qualche vicino di casa in lutto, che quella rassegnazione e quei diritti della vita è subito disposto a comprendere: no, Emilia non comprende niente. Chissà cosa passa per quella testa incaponita di santa.

Poiché le donne, con in testa la vecchia — davanti agli occhi smarriti del ragazzetto e della bambina — continuano a insistere con foga — Emilia, con gli occhi cattivi, pieni di una prepotenza nata dal

dolore, guarda a uno a uno i suoi congiunti: e infine, alzando lentamente un braccio, indica qualcosa
a un lato del mucchio di macerie e di mattoni rossi. Si tratta di un cespo di ortiche.

8 Ancora ortiche

I due bambini del casolare (sono solo due, mentre i vecchi sono almeno una dozzina : e l'unico uomo ancora abbastanza giovane è il loro grosso padre), sono sul prato davanti alla casa tutti intenti a un incarico che sembra più che mai quello dei bambini delle fiabe.

Stanno raccogliendo delle ortiche.

Infagottati nei loro vestiti da contadini a modo, già quasi simili ai borghesi, raccolgono le ortiche in silenzio, diligentemente. Solo la bambina, ogni tanto, si lamenta un po' perché le ortiche la pungono.

Il pentolino lo tiene in mano il maschio. Ed è già quasi pieno. Essi stanno chinati sull'erba — così lavata da recenti piogge da parere l'erba dei libri di fiabe. E intorno, quasi vertiginosi per quel loro verde, si stendono i prati circondati dalle linee regolari dei pioppi, trasparenti una sull'altra.

In mezzo a tutto quel verde — acceso come nel Sud, o nel centro dell'Africa — eppure pallido, di una purezza perfetta, splende più vivo il colore rossiccio del casolare, con le sue strane, arcaiche forme, rese stravaganti dalla loro stretta funzionalità — come una caserma con le sue garitte, i suoi osservatori astronomici, i suoi bastioni abbandonati e le sue torri puramente esornative.

Appena hanno riempito il loro pentolino, buffi e assennati, i due ragazzetti, rientrano attraverso il grande portone rotondo, nel cortile del casolare.

Ed ecco là in fondo, contro la sua vecchia parete slabbrata, rosa e rossiccia, col suo golf nero, Emilia immobile sopra il panchetto.

È davanti a lei che i due bambini si recano. A debita distanza, si fermano, e, coi gesti dell'abitudine — perché evidentemente è molto tempo che compiono questo loro lavoro — depongono il pentolino di coccio pieno di ortiche, e si danno da fare ad accendere il fuoco, in una specie di piccolo focolare fatto con alcuni dei vecchi mattoni rossi del mucchio di macerie, e già pieno della cenere delle precedenti, regolari accensioni.

Il fuoco divampa, dolce e famigliare, e le ortiche nel pentolino cominciano a cuocere. Dopo pochi minuti sono pronte e fumanti.

Alcune delle vecchie della casa, vengono, per abitudine — ma deluse e desolate — ad assistere al pasto, tenendosi, con aria devota, un po' discoste.

Un altro gruppo di vecchie contadine arriva, dal portone, mormorando il rosario. E così mormoranti, vengono, anch'esse a far corona intorno all'angolo che la santa ha eletto a sede della sua solitudine.

I due bambini, arruffati per la timidezza (hanno in mano anche un cucchiaio di legno, saltato fuori dalla tasca del cappottino della femmina), portano dunque a Emilia la sua broda verde da mangiare.

Emilia li guarda torva, perduta nel rigore della sua santità. Ma c'è in lei qualcosa di strano, anzi di straordinario: e non c'è dubbio che si tratta di un fenomeno che ha del miracoloso. Quanto poi esso si addica ad una santa (se Emilia è una santa) sarebbe difficile dire...

Il continuo e esclusivo nutrirsi di ortiche, ha fatto sì che tutti i suoi peli, le ciglia, le sopracciglia e i capelli, siano diventati verdi. Anche la pelle è leggermente verdastra, specie intorno agli occhi.

Ma ciò che soprattutto impressiona è la sua testa: la sua permanente, ora disfatta, coi capelli tirati sulla fronte, e abbondanti, gonfi, arricciati e bruciacchiati, dietro le orecchie, ai cui lobi splendono i due punti d'oro degli orecchini della prima comunione.

Il colore verde ortica di quella permanente di serva contadina, non è fatto certo per conferire la dovuta dignità a quel suo silenzio e a quella sua offesa solitudine di santa. E infatti le vecchie della casa la guardano preoccupate e sospirose: complici tra loro, e accomunate da quella specie di disgrazia, o meglio di fatalità, di fronte a cui esse sono impotenti.

Ma Emilia, assorta altrove, con gli occhi foschi che non guardano nulla, mangia a lente cucchiaiate il cibo verde della sua scandalosa penitenza.

Pietro è chino su dei fogli bianchi. Disegna. È così accanito e intento a disegnare (disegna una testa, che assomiglia, ma certo goffamente, a quella dell'ospite) che si dimentica di essere solo, e parla forte, commentando e giudicando quello che fa.

Ne è disgustato: la scontentezza e la delusione che gli danno i suoi disegni, è come uno spasimo, che gli sfigura i lineamenti e gli arrochisce la voce.

Alla fine fa a pezzi, arrotola e getta via il foglio di carta su cui sta disegnando.

. . . .

. . . .

Pietro disegna ancora; ma si è fatto portare nella camera un tavolo più grande, che è pieno di fogli e di matite.

Ma, ora che è meglio organizzato, non è però più contento di quello che riesce a fare.

Comincia un foglio nuovo, immacolato — come preso da una ispirazione quasi allegra, nella sua puerile ferocia. Ma poi, man mano che il disegno prende forma (si tratta sempre della testa dell'ospite), il disgusto e la rabbia sostituiscono speranza e buona volontà. Ed egli continua a parlare forte con se stesso (con la voce rauca, stonata e lamentosa con cui appunto si parla, senza dignità, quando si è soli). Giudica i suoi sbagli con spietato disprezzo, commenta sardonicamente, grida « Merda! », e finisce con l'insultarsi, col darsi dell'idiota, dell'impotente, dello stronzo.

. . . .
. . . .

Pietro è ancora chino a disegnare. Ma nel giardino, stavolta, su un foglio enorme (formato da vari fogli incollati su del compensato), che certamente dentro la stanza non avrebbe potuto essere contenuto. E infatti occupa un intero pezzo di prato.

Pietro non disegna più con una matita, ma con un grosso pennello — stando chino su quel foglio come un pavimentista.

Ma si lamenta ancora sordamente fra sé, mormorando sgraziatamente che ancora quel disegno non gli somiglia, non gli somiglia, non gli somiglierà mai — e se anche gli somiglierà sarà un risultato schifoso e assurdo — che nel vuoto (così annaspante, con un pennello in mano) l'ha trovato, e nel vuoto lo lascerà. La povera Emilia nuova, che viene a portargli una coca cola, lo coglie in pieno monologo. E, da serva, ascolta i protervi disegni del padrone per il proprio futuro: un modo qualsiasi per appropriarsene, divenendo autore, artista, creatore. Ma, alle spavalde assicurazioni — fatte alla serva veneratrice — seguono subito le sorde ironie del dubbio, le fredde ruminazioni dell'angoscia.

Disegnare... dipingere... diventare un autore: intanto, questo non è che un mettersi in mostra, un rischiare di venire in contatto con un mondo che deve apprendere tutto di colui che si presenta, e lo apprende senza tener conto di lui, quasi egli fosse un predestinato, un inviato del cielo: e così ignora la sua solitudine, lo crede già fatto per vivere pubblicamente, in un luogo dove non esiste, in questo caso giustamente, nessuna pietà.

E attraverso che umilianti prove, deve passare poi un artista! Che meschinità questo pennello, con questi suoi giochetti di contorni, e macchie, e sbavature su un pezzo di carta incollata! Di che poveri strumenti, di che mezzucci, ci si deve servire! Che puerilità questa tecnica, questo ineliminabile momento pratico e manuale, questo stare chinati come scolari su un foglio, e segnarlo, segnarlo, con diligenza, sempre come se fosse la prima volta, con la lingua fuori, gli occhi esaltati, e una vergogna terribile che invade tutto il corpo adoprato come un manichino.

. . . .
. . . .

Ancora gobbo sopra i fogli, Pietro prova nuove tecniche, per vedere di superare la vergogna delle tecniche normali.

Ha intorno, in disordine, mescolati senza nesso, colori a olio, ad acquerello, a tempera, a pastello: ma ciò che più è impressionante è la presenza di mucchi di materiali *tutti trasparenti*: cellophane, grosso o leggero, carte veline, garze e vetri, soprattutto vetri.

Tentando queste nuove tecniche — solo in quel giardino come un cane — Pietro naturalmente non ha perso l'abitudine di parlare, di giudicare, di lamentarsi, di commentare fra sé quello che fa. Quello che fa ancora e sempre gli fa schifo. Traccia con un pennello sul cartone di fondo la forma di una testa (sempre la testa dell'ospite?); poi incolla sopra il cartone così segnato (la colla è giallognola; ed egli non si cura delle sbavature dell'olio ancora fresco), un velo di garza, e con un pennello intinto in un azzurro turchese, segna due macchie al posto dove presumibilmente dovrebbero trovarsi gli occhi; poi ancora, sempre senza curarsi delle possibili sbavature, appoggia, sopra il cartone e il velo di garza, un grande pezzo di vetro: e qui, con il pennello intinto in un seppia chiaro, traccia, intorno alle macchie azzurre sulla garza (che traspaiono sotto il vetro) e dentro il contorno nero del cartone (che traspare sotto il vetro e la garza) i cerchi degli occhi.

Ride, ride. Ride sullo sgorbio che ne vien fuori — amaro, disgustato verso se stesso, sinceramente divertito dalla sua goffaggine, sovraeccitato e deluso.

. . . .

. . . .

Grande è il mucchio dei disegni e delle pitture dentro la cameretta di Pietro (egli è ritornato alle piccole dimensioni, e perciò è rientrato all'interno). Ispirato, pazzo, rapito, il ragazzo è chino, in ginocchio, sul suo materiale, che stavolta è appoggiato su una specie di grande leggio (e poiché quel materiale è ancora trasparente, si potrebbe guardare Pietro attraverso il quadro che egli sta dipingendo). Finito di dipingere il primo vetro, in silenzio, Pietro appoggia sopra il primo vetro il secondo, facendo trasparire sul primo quadro, monocromo, la monocromia del secondo.

I movimenti di Pietro, nell'eseguire queste operazioni, sono meccanici e ispirati; e la sua voce che instancabile li commenta ha perso ogni colorazione: bassa, appena percettibile, essa segue esatta quei movimenti.

Bisogna inventare nuove tecniche — che siano irriconoscibili — che non assomiglino a nessuna operazione precedente. Per evitare così la puerilità e il ridicolo. Costruirsi un mondo proprio, con cui non siano possibili confronti. Per cui non esistano precedenti misure di giudizio. Le misure devono essere nuove, come la tecnica. Nessuno deve capire che l'autore non vale nulla, che è un essere anormale, inferiore — che come un verme si contorce per sopravvivere. Nessuno deve coglierlo in fallo di ingenuità. Tutto deve presentarsi come perfetto, basato su *regole sconosciute*, e quindi non giudicabili. Come un matto, sì, come un matto. Vetro su vetro, perché Pietro non è capace di correggere — ma nessuno se ne deve accorgere. Un segno dipinto su un vetro corregge senza sporcarlo un segno dipinto prima su un altro vetro. Ma tutti dovranno credere che non si tratti del ripiego di un incapace, di un *impotente*: bensì che si tratti invece di una decisione, sicura, imperterrita, alta e quasi prepotente: una tecnica appena inventata e già insostituibile. Oppure cellophane o garza incollati su vetro, e tutto trasparente su un po' di segni che per caso siano riusciti bene sopra un cartone, dopo mille prove penose e mille altri cartoni stracciati.

Nessuno deve sapere che un segno riesce bene per caso. Per caso, e tremando: e che appena un

segno si presenta, per miracolo, riuscito bene, bisogna subito proteggerlo e custodirlo come in una te-
ca. Ma nessuno, nessuno deve accorgersene. L'autore è un povero tremante idiota. Una mezza cal-
zetta. Vive nel caso e nel rischio, disonorato come
un bambino. Ha ridotto la sua vita alla malinconia ridicola di chi vive degradato dall'impressione
di qualcosa di perduto per sempre.

. . . .

. . . .

Trasformato nell'aspetto — cioè impallidito, di-
magrito, coi capelli lunghi, e i primi peli delle sue
guance imberbi sgradevolmente neri lungo le ba-
sette — e vestito anche in diverso modo, trasandato,
sporco, — Pietro sta per lasciare la sua casa. Saluta
in silenzio sua madre Lucia, e suo padre Paolo. Ed
esce. La nuova Emilia, coi grandi occhi umidi e
pietosi, fa per prendere il suo bagaglio, ed aiutarlo.
Ma Pietro la precede, afferra il suo bagaglio, il suo
sacco, e, senza voltarsi indietro, esce.

Cammina dritto per la solita strada davanti a
casa sua, quella in fondo alla quale era scomparso
l'ospite. Anch'egli vi scompare, solcandone, insensibile, il malinconico e odioso suo raccoglimento.

. . . .

. . . .

Pietro (nel suo studio nuovo, certo al centro della
città) è su un quadro appena finito. Si tratta semplicemente di una superficie dipinta di azzurro (lo
stesso azzurro con cui sono stati solitamente dipinti
gli occhi dell'ospite). È l'azzurro che è il suo ricordo.
Ma solo l'azzurro evidentemente non può bastare...

L'azzurro non è che una parte... Chi può dare a Pietro il diritto di operare una simile mutilazione? Quali ideologie — egli si chiede — bastano a giustificarla? Allora non erano meglio i primi miserabili tentativi di ritratti veri? Ah! La verità è questa: che sia le superfici fatte soltanto di azzurro, sia i ritratti realistici, non sono che dei pretesti inutili e ridicoli. Ed egli non dipinge e non ha mai dipinto per esprimersi, ma, probabilmente, soltanto per far sapere a tutti la sua impotenza.

Preso da un impeto feroce di odio — eppure con la calma un po' volgare di chi ha fatto un calcolo — da accucciato che era davanti al suo quadro, si alza dritto, si sbottona i calzoni, e vi piscia sopra.

10 «Sì, certo, cosa fanno i giovani...»

Sì, certo, cosa fanno i giovani, intelligenti,
delle famiglie agiate, se non
parlare di letteratura e di pittura?
Magari anche con degli amici di più bassa estrazione
— un po' più rozzi, ma anche più tormentati
dall'ambizione? Parlare di letteratura e pittura,
cialtroni e faziosi, pronti a buttar all'aria tutto,
cominciando già a scaldare coi loro giovani sederi
seggiole di caffè già scaldate da sederi di ermetici?
Oppure passeggiando (calpestando cioè i lastrici divini
della parte vecchia della città, come soldati o puttane),
sovversivi malati di snobismo borghese,
— anche con tutte le sue sincerità, i suoi idealismi,
le sue vocazioni all'azione: l'ombra, cioè, dolorosa,
di Esenin o Simone Weil nell'anima?
Ma vediamo: sia che vengano, sudando,
da appartamentini con tristi
coperte bruciate dal ferro da stiro, o armadi
costati poche migliaia di lire al padre amato di nascosto
— sia, invece, che vengano da case circondate
dall'aureola della ricchezza, con abitudini quasi celesti,
di domestici e fornitori — tutti i letterati giovani
sono sudaticci, hanno un pallore di anziani,
se non di vecchi, le loro grazie sono già scrostate;
hanno un'irresistibile vocazione ai pasti pesanti

e agli indumenti di lana, tendono a malattie
puzzolenti — dei denti o degli intestini —
cacano male: sono, insomma, dei piccoli borghesi,
come i fratelli magistrati o gli zii commercianti.
Un'unica grande famiglia, priva di ogni amore.
Capita ogni tanto in questa famiglia
un Adorabile. Ma strano:
anche Lui, come gli altri, i merdosi,
invoca (dal principio dell'altro secolo, e,
dopo una breve interruzione tra il '45 e il '55,
fino ai nostri giorni) un Dio sterminatore: sterminatore
di sé e della sua classe sociale. Anch'io lo invoco!
E già una volta questa invocazione è stata ascoltata.
Giovinetti cascanti in scialli Sioux, finti giovani di Torir
già stempiati con loden blu, distruttori di grammatiche,
convittori castristi che saltano i pasti a Monza,
nuovi qualunquisti in pelliccia, che amano i Concerti
Brandeburghesi come se avessero scoperto una formula
antiborghese, che gli fa lanciare intorno occhiate furent
democratici dolcemente burberi, persuasi che solo
la vera democrazia distrugga la falsa; anarchici
biondini, che confondono in perfetta buona fede
la dinamite col loro buon sperma (andando,
con grandi chitarre, per strade
false come quinte, in branchi rognosi); Pierini -
universitari che vanno a occupare l'Aula Magna
chiedendo il Potere anziché rinunciarvi una volta per
guerriglieri con le loro guerrigliere al fianco   [sempi
che hanno deciso che i Negri sono come i Bianchi
(ma forse non anche i Bianchi come i Negri): tutti coste
non preparano altro che l'avvento
di un nuovo Dio Sterminatore;

marchiati, innocentemente, di una croce uncinata:
eppure essi saranno i primi a entrare, con vere
malattie e veri stracci addosso,
in una camera a gas: non è ciò che giustamente vogliono?
Non vogliono la distruzione, e la più orrenda,
di loro stessi e della classe sociale a cui appartengono?
Io, col mio piccolo cazzo tutto pelle e peli,
capace di fare, sì, il suo dovere, eppure umiliato,
per sempre, da un cazzo di centauro, greve e divino,
immenso e proporzionato, tenero e potente;
io, vagante nelle latebre del moralismo e del sentimenta-
a lottare contro i due, cercandone l'estraniamento   [lismo,
(una moralità straniata, un sentimento straniato,
al posto di quelli veri: con ispirazioni simulate
e quindi molto più madornali di quelle autentiche,
destinate al ridicolo, com'è regola borghese);
io mi trovo insomma dentro un meccanismo
che ha sempre funzionato allo stesso modo.
La Borghesia è lucida, e adora la ragione:
eppure, a causa della propria nera coscienza,
manovra per punirsi e per distruggersi: delega
così a deputati alla propria Distruzione,
i suoi figli degeneri, appunto: i quali
(chi stronzamente conservando
un'inutile dignità borghese di letterato indipendente,
o addirittura reazionario e servile, chi invece,
andando proprio fino in fondo, e perdendosi)
obbediscono a quell'oscuro mandato.
E incominciano a invocare il suddetto Dio.
Arriva Hitler, e la Borghesia è felice.
Muore, suppliziata, per mano di se stessa.
Si punisce, per mano di un proprio Eroe, delle proprie colpe

Di cosa parlano i giovani del 1968 — coi capelli
barbarici e i vestiti edoardiani, di gusto
vagamente militare, e che coprono membri infelici com
se non di letteratura e di pittura? E questo   [il mi
che cosa significa se non evocare dal fondo
più oscuro della piccola borghesia il Dio
sterminatore, che la colpisca ancora una volta
per colpe ancora maggiori di quelle maturate nel '38?
Solo noi borghesi sappiamo essere teppisti,
e i giovani estremisti, scavalcando Marx e vestendosi
al mercato delle Pulci, non fanno altro che urlare
da generali e ingegneri contro generali e ingegneri.
È una lotta intestina.
Chi veramente morisse di consunzione,
vestito da mugik, non ancora sedicenne,
sarebbe il solo forse ad avere ragione.
Gli altri si scannano fra loro.

11 Dove si descrive come il signorino Pietro finisca col perdere o tradire Dio

Pietro sta in mezzo al suo stanzone con gli occhi chiusi: ma chiusi furiosamente, quindi tutt'intorno pieni di grinze, e la bocca semiaperta in una smorfia di rabbia.

Così, con gli occhi chiusi, si muove nella luce lattea del suo ricco stanzone di pittore ribelle. A tentoni, e tastando le cose, va verso una parete, dove sono appoggiate delle tele non dipinte, ne prende prima una, poi un'altra: sceglie una tela, le cui dimensioni gli sembrino, per l'operazione che sta compiendo, quelle giuste.

Porta barcollando la tela in mezzo allo stanzone, e l'adagia per terra. Poi sempre cieco, sempre più ostinatamente cieco, va verso un altro angolo dello stanzone. Il lavoro adesso è molto più complicato, e due o tre volte, egli rischia di cadere: sceglie tra i colori. La sua mano passa, tastando, sugli acquerelli, gli olii, le vernici; finalmente arriva alla zona che cerca: un mucchio di barattoli. Li rimescola — come si rimescolano le carte o i dadi, per aiutare il caso — poi sceglie un barattolo. È chiuso. Deve quindi aprirlo. Va come un ubriaco verso un tavolo; ma ha perso l'orientamento, e ci mette molto a trovarlo. Finalmente lo trova. Ma ora deve trovare un cassetto, e dentro il cassetto deve trovare un arnese con cui aprire il barattolo. Ecco un cacciavite. Con quello fora, malamente, il barattolo.

Ora si tratta di raggiungere di nuovo, in mezzo allo stanzone, il quadro abbandonato sul pavimento. Dapprima Pietro lo cerca con la punta dei piedi, con cui, passo dopo passo, esplora ciò che ha intorno. Poi si china, e cammina quasi strisciando sul pavimento, a quattro zampe — ma a fatica, perché con una mano deve reggere il barattolo. S'imbatte infine con la tela distesa a terra. La tocca trionfante. Tastandola col palmo della mano, cerca più o meno il suo centro. Sospende all'altezza del centro del quadro il barattolo, poi, piano piano, si alza dritto, cercando di mantenere sempre il barattolo sullo stesso asse. Quando è in piedi, con un gesto rapido, rovescia il barattolo, e lascia cadere un po' del suo liquido, a caso, nel centro del quadro. La macchia — azzurra — vi si allarga, spruzzando piccole gocce intorno. Allora Pietro mette per terra il barattolo, e afferra la tela così dipinta. Sempre barcollando come un ubriaco, e senza curarsi che il liquido goccioli, va a cercare una parete libera, con un chiodo, certo fissato in precedenza: e lì appende il quadro. Ma non apre ancora gli occhi, per guardarlo; ritorna, invece, ancora con gli occhi chiusi, e quasi con la faccia distesa e gonfia per un sorriso di intima e feroce soddisfazione, verso il centro della sua stanza vuota...

Lucia sta finendo di truccarsi o di pettinarsi, davanti allo specchio, dove si compie quel rito quotidiano. Ma lei, non c'è dubbio, è lontana da lì. Infatti, dopo aver finito, con la calma e la cura dovute, di pettinare i capelli, che porta — come usano certe signore veramente ricche e certe nobili — in una foggia antiquata, con delle onde che scendono quasi a coprirle l'occhio, per una raffinatezza un po' puerile e manieristica, e un po' puttanesca — getta con dolore il pettine sul tavolo, tra gli oggettini preziosi della toilette.

Si alza piena di quel dolore. Poi sospira, e quasi con un'ironia (assurda in quel volto di eroina popolare) che le distende, illusoriamente, i lineamenti, s'infila il cappotto, o una pelliccia, ed esce.

L'aspetta, sulla strada, davanti alla casa, la sua macchina; vi sale, con quella sua calma mista alla frenesia, la mette in moto, parte.

Anche lei si perde giù lungo la silenziosa strada per dove si è perduto l'ospite; anche lei è inghiottita da quella quinta desolata e proterva di case di gente ricca, per cui è un dovere il non dar segno di esistere.

Resta, solo, lo scenario: indice di una irrealtà, che, in concreto, ha la forma di un quartiere di morti, le cui pietre, il cui cemento, le cui piante sono uno spettacolo, immobile nel sole, che angoscia e offende con la sua sola presenza.

. . . .

. . . .

Il mondo attraverso cui l'automobile di una signora può passare, quando le mete non siano più quelle previste e fissate da una abitudine che non si può trasgredire, ma siano quelle che il peccato designa, affidandosi al caso — sono, malgrado il rovesciamento della situazione, le più prosaiche, tristi e quotidiane.

Lucia dunque esplora, inaridita e disperata, la città alla ricerca di qualcosa che indubbiamente alla fine riuscirà a trovare, ma che per molto tempo, magari per tutta la giornata, sembra un miracolo impossibile.

Essa è in colpa (gira a cercare l'accadere di un miracolo, mentre tutti sono intenti alle incantevoli miserie di ogni giorno): ma questa sua colpa è frutto di un diritto che essa crede di avere.

Perciò quasi proterva (per quanto glielo consente la dolcezza del suo viso di ragazza lombarda educata alla pietà, al rispetto e a una innocente ipocrisia), reprime ogni ansia, ogni vergogna, ogni voce di saggezza: dedicandosi alla sua ricerca con l'ostinazione di uno scienziato o di una bestia affamata, che si contorce in silenzio.

Qual è questo luogo della città? Della grande città industriale, in cui il dovere e il lavoro sono come un clima che impedisce il fiorire dei miracoli? Si trova nella periferia verso la Bassa o verso la Svizzera? Verso Cremona o verso Venezia? Dalle parti di quale quartiere industriale con le sue fabbriche, silenziose come chiese o scuole, durante le ore del lavoro?

Poiché si tratta del momento in cui il miracolo accade, il luogo è semideserto, tranquillo, con pochi passanti, e un sole radente di buon augurio, benché così debole. La pensilina si alza vuota sul marciapiede, e sotto questa pensilina è il ragazzo con gli occhi chiari. Egli aspetta il suo tram, senza ansia, con dignità; e la solitudine anziché spingerlo ad atteggiamenti di pigrizia o di strafottenza, lo chiude piuttosto in una specie di grazia più compatta e gentile.

È alto, con lo zigomo commoventemente pronunciato, i goffi e folti capelli di ragazzo semplice, che non se li pettina, la pelle scura, e il corpo alto, che tuttavia, per le proporzioni giuste, non lo sembra, conferendo alla sua giovinezza un'aria quadrata e virile (non d'atleta, ma piuttosto di contadino).

Lucia si ferma con la macchina poco oltre la pensilina: ma una improvvisa timidezza però la immobilizza, tanto che non ha coraggio nemmeno di voltarsi indietro, verso di lui; estrae piano piano la sigaretta, con gli occhi puntati nel vuoto, e mormora fra sé i pensieri amari che la sconvolgono e le danno quella disperata calma, e quasi quasi la decisione di rinunciare...

Rimane ferma — curva — con la sigaretta spenta tra le labbra — con un sorriso agghiacciato e amaro. Meccanicamente, rimette in moto la macchina, senza però partire.

Come (quasi per caso!) volta la testa verso il marciapiede, vede il ragazzo lì, vicino, addosso a lei. Forse è uno studente — non è certamente un operaio. Forse addirittura uno studente universitario; di quelli di famiglia povera, che vengono dalla provincia. Altrimenti come avrebbe avuto il coraggio di farsi avanti — con una donna come lei, così bella, così scostante, così protetta dal suo evidente privilegio sociale — e addirittura sorriderle con timida e intelligente complicità?

Lucia così non ha bisogno di chiedergli del fuoco — quella maledetta richiesta che non le veniva alle labbra: basta soltanto che appena appena gli sorrida, facendo un gesto, timido, che indica la sua sigaretta spenta, e la conseguente naturale necessità...

Ma il ragazzo — con quel suo sorriso, che ora ha un'aria decisamente umoristica, che non lascia più dubbi sulla sua estrazione sociale e la sua cultura almeno di studente universitario — allarga le braccia, con buffa e simpatica desolazione, lasciando intendere che lui non fuma.

Ma poi ha un gesto di vera audacia (le audacie dei timidi sani — timidi solo, magari, per l'umiltà della loro vita) e correndo con una corsa ingenua, di cane festoso, raggiunge un passante, gli chiede i fiammiferi, torna, fa accendere la sigaretta a Lucia, riporta la sua scatoletta al passante e ritorna di nuovo... Sì, dev'essere proprio così: uno studente che viene da una famiglia piccolo borghese o operaia di provincia, di cui porta ancora addosso, ineliminabile, ma con grazia, l'umiltà e la rozzezza, insomma i segni della povertà.

Lucia, non sa neanche lei come e perché, e con che gesto di cameratismo complice e di spregiudicatezza assolutamente inconsapevole, si allunga e apre lo sportello: il ragazzo vi si infila, rapido, felice, accettando l'avventura come una cosa giusta, assoluta e compiutamente capace di dare felicità.

. . . .

. . . .

La casa dove il ragazzo abita, è una di quelle che riescono a trovare, appunto, gli studenti che vengono a studiare all'università dalla provincia. È una casa né vecchia né nuova, ma certo molto triste, perduta in mezzo a un mucchietto di case né vecchie né nuove, che stanno però tra un gruppo quadrato, di case nuovissime, scintillanti di vetri e metalli — recente e trionfante opera del neocapitalismo — e un altro gruppetto — divino — di vecchie case dell'ottocento, se non più antiche, con le stupende proporzioni delle loro muraglie grigie, dei loro cornicioni, dei loro porticati, delle loro vecchie stalle, belle come chiese. Tutto questo quartiere è quasi in campagna — oltre un cavalcavia che resta sospeso lontano, come un'apparizione biancastra sulla nebbiolina grigia — e quasi già tra le grandi, infinite file di pioppi, che cominciano subito oltre un canale dalle vecchie spallette di pietra.

La macchina rimane in una fila di altre macchine, lungo il marciapiede slabbrato delle tristi case né vecchie né nuove; e Lucia con il ragazzo entrano in uno di quegli infelici portoncini.

Le scale sono semibuie: non si possono non guardare, e non si può non sentire un acuto dolore nel guardarle.

Il ragazzo sale impaziente: non c'è dubbio che se fosse dipeso da lui, avrebbe fatto quattro scalini alla volta, e in un attimo sarebbe stato in cima a quelle rampe dolorose, sprofondate verso l'alto, in un odore di cavoli e stracci bagnati.

Arrivano davanti alla porticina dell'appartamento, se Dio vuole.

Nella stanza c'è un lettino (accuratamente rifatto), ed è lì che senza guardarsi attorno, i due vanno a distendersi, quasi a cadere, cominciando a cercare di dar fondo all'ansia inesauribile. Restano lì a lungo — finché egli si alza di scatto, quasi come spaventandosi per qualche ragione imprevista (tanto che Lucia si spaventa realmente), e si toglie la giacca; poi si china a baciarla; ma si rialza subito, ancora di scatto, per togliersi la camicia (lavoro più complicato, che richiede quindi qualche sorriso intimidito); si china a baciarla di nuovo; poi si rialza, stavolta per togliersi con furia la canottiera e per sbottonarsi i calzoni. Così si ridistende su lei e ricomincia a baciarla. Ma subito e ancora di colpo, si abbatte, come addormentato, su di lei, nascondendo il viso tra la sua spalla e la sua guancia.

Lucia rispetta quella sua prima, e prematura, stanchezza (dovuta certamente a tutta quella gioventù che egli si ritrova addosso, come un dono da buttar via), e approfitta per guardarlo, e per guardarsi intorno. Di lui, non vede che un po' di capelli spettinati e un'orecchia ardente; ma lo sguardo che esplora la stanza, scopre tutto quello che c'è, nella sua triste evidenza: la miseria, la giudiziosità, la tristezza, il buon senso.

Per terra, ci sono gli indumenti del ragazzo, appena gettati: come le tracce di qualcuno che sia appena passato e subito scomparso lontano.

Ma no, invece, egli è ancora lì, presente: ricomincia a muoversi, ad accarezzarla, a dare quei suoi baci prepotenti, ma troppo freschi, troppo innocenti: quasi che egli non volesse soddisfare che un suo appetito, poco noto a lui stesso; oppure come se inseguisse, follemente, e senza saperlo, delle regole dettate da una abitudine che gli è preesistente, e di cui egli è uno schiavo semplice, fedele e felice.

13 Dove si descrive come anche Lucia finisca col perdere o tradire Dio

Sembra incredibile che la notte possa essere così senza vita e così piena dell'inanimata volontà di esserlo.

Eppure, chissà come, in fondo all'abisso della nebbia attaccata alla terra — al di là dei vapori che vagano sui tetti e sulle cime dei pioppi — al di là della bassa nuvolaglia lacerata, e infine, al di là delle nuvole sconfinatamente alte, garanzia forse di sereno per il giorno dopo — si intravede uno spicchio di luna, sottile come una fettina di melone o di zucca: una luna che tramonta, andandosene inosservata e sconfitta.

Un po' di quella luce lunare, atrocemente malinconica, entra nella stanza, dove Lucia è distesa con gli occhi aperti, sul lettino disfatto.

Dormendo, nell'incoscienza del suo sonno pieno di diritti, di un'innocenza quasi offensiva, il ragazzo ha occupato col suo corpo tutto il lettino: respingendone così Lucia all'estremità, dove certamente, se anche ne avesse voglia, non potrebbe riprendere sonno. Risvegliarsi è per lei trovarsi immersa in uno stato di intenso stupore: e di dolore, almeno tanto immedicabile quanto la luce agonizzante di quella luna che annuncia il giorno.

Gli oggetti della stanza risaltano vividi, e, a uno

a uno, sono fonte di pietà e di vergogna : il tavolino con la tela incerata sotto la finestra; le due o tre seggiole; la mensoletta alla parete coi libri di svago (tutti probabilmente comprati di seconda mano); il piccolo tavolo coi grossi, severi libri di studio e le dispense; l'armadio che certamente contiene il puro necessario per vestirsi (cose tenute certamente con una cura il cui pensiero trafigge di pena); la carta da parati da due lire sulle pareti; le riproduzioni di due o tre quadri d'autore, incorniciati con una lista di cartoncino; e, sopra il letto, naturalmente, una Madonna, bianca e azzurra, di ceramica, come di solito si vedono nelle cucine.

Lucia si alza, come un fantasma : senza aver preso (lo si vede bene) alcuna decisione. Forse per puro amore, o forse solo per andare alla finestra, a osservare la fonte di quella atroce luce che illumina la stanza.

Resta invece ferma, accanto al letto, e guarda... gli indumenti del ragazzo, sparsi per terra.

Sono rimasti così come egli li aveva gettati la sera prima (ma quante ore sono passate?), spogliandosi in furia, come fanno i ragazzi così poco critici nei riguardi dei loro goffi diritti. E ora sono come le spoglie di un animale, che abbia lasciato lì le tracce, i segni del suo passaggio sulla terra, e se ne sia andato per sempre.

La vivezza degli indumenti, così poveri e prosaici, è in contrasto, assurdo, con la lontananza raggiunta dal loro possessore, nei suoi sogni: i calzoni scomposti, coi bottoni sul grembo slacciati, aperti sul pavimento in tutta la loro ingenuità inconsapevole; le mutandine, forse non del tutto immacolate, coi tristi segni della vita; la canottiera, che, invece, appare splendida, colpita dalla luce stavolta serena della luna; le scarpe rovesciate, drammaticamente, in tutta quella pace, il bel maglione di lana grossa, d'un colore non vivace eppure misteriosamente giovanile... I calzetti, invece, il ragazzo non se li è tolti: sono ancora infilati ai piedi del suo corpo nudo.

Egli dorme sul fianco — come i feti — con le braccia allungate e strette (tra le cosce contro il grembo).

Lucia lo guarda, come un superstite: la sua innocenza, così cieca, le fa pena; il respiro troppo regolare e un po' sporco del sonno, la bellezza del suo viso resa sordida e monca dal sudore e dal pallore, e, forse, un certo indistinto odore che emana da tutto lui (forse da quei calzetti non tolti dai piedi), le danno disgusto, è chiaro, un disgusto aumentato dall'inoffensività e dall'incoscienza di chi, così stupidamente vinto dalle necessità del corpo, lo suscita. È un disgusto che è quasi un odio, per lui; una vera e propria voglia di colpirlo, di offenderlo, con indignazione e con disprezzo, perché capisca una buona volta, come un uomo non debba mai andarsene col sonno, non debba cedere, non debba morire!

Ma Lucia non può vincere neanche una certa tenerezza, l'ultimo e definitivo sentimento che proverà andandosene di nascosto: sta già rivestendosi, si è già infilata la gonna, che si avvicina a lui, accarezzando ancora una volta quel corpo nudo, i cui muscoli si sono sciolti, sono diventati molli, carne ignara. E scende, dal petto largo e dolce come una piazza, giù per lo stomaco diviso dai suoi due muscoli simmetrici, come nelle statue, per la pancia ancora senza un filo di grasso, ma già fin troppo virile, con un'ombra sottile di peli che gli sale fino all'ombelico — fino a toccare il pene, puro d'ogni cosa che non sia la miseria della carne.

Poi Lucia finisce di vestirsi, piano piano, ripresa dalla morsa di un dolore senza nome, e certamente senza rimedio.

Prende le sue cose ed esce dalla stanza, neanche tanto furtivamente e in silenzio.

. . . .
. . . .

Resta indietro il quartiere del ragazzo; le luci dell'illuminazione pubblica (una lampadina davanti alla porta di ognuna delle tristi palazzine) si spengono. Appare il giorno, rognoso, senza luna, e con la nuvolaglia bianca uguale dappertutto.

Lungo il canale dalla spalletta di pietra, seguito da un lungo ciglio d'erba, ecco la strada che va verso il centro.

C'è già la gente rassegnata, che va al lavoro; chi a piedi, verso la fermata del tram; chi con la motocicletta, o la triste, antica lambretta; passano già seccanti e fitte le automobili, le feroci seicento delle sei del mattino.

Ma ecco là, dall'altra parte della strada, contro un ponticello che attraversa il canale, due figure con quell'aria speciale, che le distingue da tutto, come il privilegio naturale di un'altra razza: la gioventù.

Lucia li intravede appena, mentre un'altra macchina la incrocia. Essi alzano la mano, sicuri e prepotenti, chiedendo senza alcuna gentilezza il favore di un passaggio.

Lucia fa altri tre quattrocento metri, poi rallenta, e decidendo disperatamente di fare una pericolosa curva, tra le minacce dei conducenti delle utilitarie che sopravvengono in frotta, ritorna indietro. I due non se ne stupiscono affatto: fanno il loro gesto interrogativo e disimpegnato dell'autostop, e come Lucia rallenta e si ferma — essi corrono e, scambiate le poche parole appena necessarie, salgono.

Il ragazzo seduto accanto a lei, ha gli occhi celesti. Sta con le gambe larghe, eretto, come certe statue delle vecchie chiese contadine, come i re omerici: ma non è probabilmente che la soddisfazione di essere seduto sul sedile di una macchina dalla grossa cilindrata.

Quello di dietro ha un'aria volpina e distaccata: forse perché tra i due egli è il secondo, o l'inferiore (per età o chissà che altro): e allora guarda gli avvenimenti il cui ordine riguarda l'altro, l'amico: non lui, che ne è semplice osservatore, e si lascia andare, un po' ironico, alla sua contemplazione simpatizzante.

Ma l'altro, per ora, è preso da una strana, irremovibile distrazione: è raccolto a guardare la strada, a seguire la corsa. Si sbottona quasi meccanicamente il cappottino, guardando avanti, corretto e assorto: emergono le sue grosse cosce innocenti, fasciate dalla tela troppo leggera dei calzoni estivi (malgrado l'ora e il freddo quasi invernali).

Lucia, altrettanto distratta, toglie la mano destra

dal volante, se la passa sui capelli scomposti (per un attimo si copre anche il viso: e la sua indifferenza irata e cerea, per quell'attimo, si scompone in una smorfia di dolore o di terrore); poi lascia cadere la mano, come per stanchezza, per noia mattutina, anziché sul volante, sul bordo del sedile, abbandonandola lì, alla sua inerzia.

Il ragazzo, che ha sempre guardato avanti — e quindi come ha fatto ad accorgersene? — le avvicina piano piano la sua — forte, di operaio, o di delinquente — e dopo avergliela un istante sfiorata col mignolo, gliela afferra; con uno strattone la porta vicina alla sua coscia coperta dalla tela quasi trasparente; e poi, con un secondo strattone, sul grembo.

La macchina corre per l'asfalto lucido, di una strada che si perde chissà dove.

Ad ogni modo, a destra e a sinistra ci sono le marcite, con intorno le cornici di pioppi: il loro verde è triste e vecchio; la pianura è piatta, senza un'ondulazione; le cattedrali di pioppi traspaiono una sull'altra finendo però presto contro barriere di nebbia stagnante.

A destra c'è una carreggiata con due solchi antichi dei carri e in mezzo la spina dorsale d'erba fradicia — che si spinge per le marcite.

Lucia, quasi meccanicamente, svolta e corre per quella stradina lungo una fila gigantesca e tremolante di pioppi, dove appare, miracolosamente, un vecchio pagliaio abbandonato poco oltre un fosso pieno d'acqua. Ci si arriva per un ponte fatto di due assi marce.

Lucia e il ragazzo scendono dalla macchina, attraversano il ponticello, giungono oltre le muraglie rosse e grigie del pagliaio, tra l'erba grondante di guazza o di pioggia caduta durante la notte.

Il ragazzo la spinge contro il muro, e senza nemmeno prima abbracciarla o baciarla, comincia a slacciarsi la cinta dei calzoni.

. . . .
. . . .

Hanno ben presto finito di far l'amore; pochi minuti sono bastati al ragazzo, che si è appena alzato dal letto — pieno del sonno giovanile che l'ha riempito di un seme a cui bastava un nulla per sciogliersi. Riallacciandosi la cinta, egli se ne va, con appena uno sguardo intimidito (ma di una timidezza senza imbarazzo) verso Lucia.

Scompare dietro l'angolo, e Lucia indugia a riassettarsi: mentre la smorfia di dolore, o meglio di terrore, le torna a deformare il dolce viso sciupato.

Ma ecco, che dall'angolo del muretto, appare l'altro ragazzo, col suo cappottino leggero e troppo elegantino, col bavero rialzato, e, sotto, dei vecchi blue-jeans. Solo in quel momento Lucia si rende conto del tacito patto, e del fatto che la sua volontà vi partecipava. Il nuovo ragazzo *non ha gli occhi azzurri*, e non è bello come gli altri, è un ragazzo comune e un po' sgradevole. Lucia si stacca dal muro e fa per andarsene, rivoltandosi contro la violenza e il silenzio di quel patto non formulato: presa ancora dall'idea, vera, che quel ragazzo non le interessa e non le piace. Ma egli la trattiene, con una mano contro la parete — già così sicuro di averla vinta, che non perde la sua infantile dolcezza, e l'aria, scoperta, di chi, in fondo, chiede qualcosa per favore: il peso della sua mano sulla spalla, e il gesto dell'altra mano già istintivamente sul grembo di giovane padre maturo...

. . . .

. . . .

Lucia lascia i due ragazzi nella piazzetta di un paese circondato da fabbriche e pioppi. Essi scendono, e la salutano. Poi vanno animosi, a passo svelto, verso i fatti della loro mattina, in quel luogo che la loro vita ben conosce. Lucia mette in moto e riparte, verso la campagna.

È subito in mezzo alle marcite e ai pioppeti. La mattina si va rasserenando, e il verde brilla mesto e festoso.

Compare un fiume, incassato, tra due cupi argini, verdi di un verde abissale, levigato come l'ottone. Poi un boschetto di pioppi, fitto e con le file regolari infinitamente lunghe, che si perdono là dove trionfa mestamente il sole.

Poi compaiono delle basse valli, che allargano l'orizzonte quasi fino al Po, e nel centro, fra sperduti riquadri di pioppi, delle marcite così scolorite da sembrare quasi bianche, misteriose come risaie orientali.

Le strade puntano tutte verso quelle visioni. E si seguono l'una all'altra, come in un rado labirinto. Voltare a destra è come voltare a sinistra: puntare verso le montagne che albeggiano in una specie di sogno, è come puntare verso la depressione del Po, che compare reale, è vero, addirittura realistica — ma profondamente estranea, come un mondo contadino di epoche lontane e dimenticate.

Così Lucia incapace di ritrovare la strada che la porta a casa, gira per quel labirinto elegiaco, tanto disgustosamente triste malgrado lo splendore del verde. Alle volte gira e torna indietro, nel bel mezzo di una stretta strada d'asfalto, che, davanti o alle spalle, è perfettamente identica; altre volte, dopo avere puntato, a un bivio, verso destra, cambia d'improvviso idea e corre verso sinistra. A perdersi tra le file dei pioppeti, ciechi del loro antico, mai risolto mistero silvestre.

Il disorientamento di Lucia dipinto nella sua faccia, che è come diventata di vetro, nasconde una sola ferrea volontà. Ma quale? Forse non è che un irrigidimento, un rifiuto. Un « no » detto a una verità, sia pur infima, scarsa e disperata.

Imbocca una strada come le altre (forse già percorsa), poi, a un bivio, va, stavolta decisamente, verso destra (ha di qua e di là, gli anfiteatri di pioppeti, resi accidentati dal letto, sudicio per i rifiuti delle fabbriche, di un fiume, forse del Lambro), arriva all'altezza di una carreggiata, con la sua solita costa verde nel mezzo. Qui si ferma, presa, e incantata come da una apparizione, che non la stupisce, non la rallegra, ma semplicemente l'assorbe, *immergendola in una rapida serie di calcoli, precisi e ispirati.*

Il risultato di questa meditazione, è che Lucia scende dalla macchina e va, a piedi, verso la visione che l'ha fermata nella sua corsa piena di insensate giravolte.

Si tratta di una cappella sola nel centro di una distesa di marcite e pioppeti: una cappella bianchiccia, giallina, piccola, elegante — uscita certamente dalla testa ancora barocca di un artista provinciale, vissuto in pieno neoclassicismo; assurda, dunque, e perfetta, con i suoi composti svolazzi settecenteschi, molto più simili a blasoni nobiliari che a un qualsiasi segno di fede.

Essa è posata, assolutamente sola e isolata, in mezzo alla campagna.

La porticina, scassata, benché rifatta recentemente dai vecchi fedeli dell'ottocento, è aperta: e scricchiolando si apre, alla timida spinta di Lucia.

L'interno è tutto dell'ottocento; triste, per la verità, stupido e bigotto. Ma i banchi in fila, — scassati e in disuso come la porta — e un unico, piccolissimo confessionale cascante — appunto perché lasciati in quel totale abbandono, non mancano della malinconia dell'antica, terribile religione, al di là dei cui confini sono passati i miseri fratelli — e si sono perduti con la luce dei loro soli.

Sulla piccola abside, sopra l'altare vuoto e polveroso, è dipinta una crocefissione: certamente dovuta a un povero artista romantico — rozzo e manierato ripetitore di macchine rinascimentali ormai buone solo per il popolo: così che il Cristo appeso alla croce, ha l'aria di un giovane spirituale un poco idiota e ambiguo — ma tuttavia abbastanza virile, con due occhi azzurri pieni di quella che dovrebbe essere la Divina Pietà.

Non entreremo nella coscienza di Lucia. Essa, dopo essersi fatta il segno della croce, è rimasta im-

171

mobile presso la porta : non c'è altra espressione in lei che quella dovuta al liquido nerume dei suoi occhi, fissi e perduti.

È verso quel Cristo che essa è attratta, lasciando il suo magro corpo, lì, vicino alla porta, come una spoglia ritornata alla sua vecchia vita.

La panca contro la parete scrostata del casale è vuota. Emilia non è più lì.

Essa, oggi, si trova più in alto: ma non a una delle finestrelle, tutte chiuse, del primo piano; e nemmeno a una di quelle più piccole e senza vetri del granaio. Essa si trova addirittura sopra il cornicione, sopra il tetto.

Emilia, insomma, *è sospesa nel cielo*. E se ne sta là, senza nessuna ragione, a braccia aperte.

Forse sta così già da molte ore: alta, come una sonda o un'impiccata, contro la nuvolaglia grigia, tra cui trapela — è già quasi sera — un assurdo sereno.

Abbasso, nel cortile del casale, c'è infatti molta folla che guarda in aria, non sapendo cosa dire, cosa fare, straniata e resa pazza dalla novità. Solo il ragazzetto delle ortiche, piccolo parente della santa sospesa sopra il tetto, forse perché bambino e quindi più felice che stupito, ha l'idea di fare qualcosa: e corre verso la torretta della casa colonica, nel cui arco contro cielo, penzola una vecchia campanella, si attacca alla corda e comincia a suonare, a suonare.

A quel suono stridulo e scomposto, la straordinaria scena che si svolge nel casale acquista un significato più umano, e la gente, in qualche modo, sa ritrovare i gesti e le azioni che ci vogliono in quei casi, riconoscendo davanti ai propri occhi l'antica e ben nota presenza di Dio.

Chi resta a guardare in piedi, chi cade in ginocchio, chi tace, chi prega; chi è inebetito e chi commosso fino alle lacrime. La stupefacente presenza di quella piccola figura nera, sospesa sull'orlo del tetto, contro un cielo vertiginoso, pieno delle malinconiche nubi del tramonto listate di luce, è una visione che non riesce a saziare e ad esaurire la folle felicità di cui riempie.

Del resto, bisogna convenirne, essere testimoni di un fatto simile, non è cosa di tutti i giorni. Nessuno potrebbe ora dire che cosa porteranno le ombre, che, come ogni sera, stanno lentamente e severamente calando dal cielo.

15 Inchiesta sulla santità

Il lettore dovrà a questo punto compiere un difficile e forse non gradevole ripiegamento, dal corso della storia, al suo fondo: cosa che comporta una interruzione, naturalmente arida e prosaica, come ogni consuntivo.

E com'è brutto, banale e inutile il significato *di ogni parabola*, senza la parabola!

Ciò che il miracolo della santa ha portato intorno al casolare, non è nient'altro, del resto, in conclusione, che una grande e variopinta folla contadina: la stessa che si vede, la domenica, nei santuari. I cortili ne sono così gremiti che si scorge a stento Emilia, seduta in fondo, sulla sua panca. Essa ha in testa uno scialle nero, che le nasconde i capelli verdi.

Insieme alla folla, è arrivato un giornalista, col taccuino e col registratore (se non è addirittura un cronista, con la macchina da presa).

Egli — e gli si legge in faccia la cattiva coscienza — ha evidentemente delle domande da fare a tutta quella gente, e si guarda intorno a cercare i « personaggi » adatti: ci sono povere massaie arrossate dal freddo e dalla fatica, degli uomini annichiliti da una vita trascorsa tra le marcite e gli argini della Bassa, sotto i nebbioni e le nuvole ghiacce e basse,

e i magri soli; ma ci sono anche dei gruppi di borghesi, degli intellettuali, e soprattutto delle signore.

Ed è a proposito di questa inchiesta, che il lettore dovrà appunto subire la violenza — ripetiamo,
forse ingiustificata — di una interpolazione. Si tratta
della serie di domande che il giornalista rivolge alla
gente radunata nei cortili del casale: inserto, per di
più, appartenente a un genere di linguaggio usato
nel commercio culturale quotidiano — i giornali, la
televisione — e, meglio che dozzinale, addirittura
volgare. Le domande dell'inchiesta, sono circa le
seguenti:

« Lei crede nei miracoli? E chi è che li compie?
Dio? E perché? Perché non a tutti o attraverso tutti? »

. . . .

« Lei crede che Dio faccia miracoli solo a chi
crede, o attraverso chi crede veramente? »

. . . .

« Se Dio si rivelasse con un miracolo a lei, pensa
che lei... la sua natura... si altererebbe? Oppure lei
resterebbe com'era prima del miracolo? »

. . . .

« Pensa che ci sarebbe un cambiamento in lei?
In tal caso, sarebbe più importante il miracolo stesso, o il cambiamento — avvenuto in conseguenza del
miracolo — della sua natura umana? »

. . . .

« Per quale ragione, secondo lei, Dio ha scelto
una povera donna del popolo per manifestarsi attraverso il miracolo? »

. . . .

« Per la ragione che i borghesi non possono essere veramente religiosi? »

.   .   .   .

« Non in quanto credano o credano di credere... ma in quanto non possiedano un *reale sentimento del sacro*? »

.   .   .   .

« Così anche supponendo l'intervento di un miracolo a mettere un borghese, forzatamente, alla presenza di ciò che è diverso, e quindi a rimettere in discussione quell'*idea falsa di sé*, che egli ha fondato sulla cosiddetta normalità — potrebbe, in questo caso, il borghese giungere a un sentimento religioso vero? »

.   .   .   .

« No? Ogni esperienza religiosa si riduce quindi nel borghese a una esperienza morale? »

.   .   .   .

« Il moralismo è la religione (quando c'è) della borghesia? »

.   .   .   .

« Dunque il borghese... *ha sostituito l'anima con la coscienza*? »

.   .   .   .

« Ogni antica situazione religiosa si trasforma automaticamente in lui in un semplice *caso di coscienza*? »

.   .   .   .

« Allora, è la religione metafisica che si è perduta, trasformandosi in una specie di *religione del comportamento*? »

.   .   .   .

« Sarebbe forse, questo, il risultato dell'industrializzazione e della civiltà piccolo borghese? »

. . . .

« Così qualunque cosa accada a un borghese, *anche un miracolo o un'esperienza divina d'amore*, non potrebbe mai resuscitare in lui l'antico sentimento metafisico delle età contadine? Divenendo invece in lui un'arida lotta con la propria coscienza? »

. . . .

« L'anima aveva come scopo la salvezza: ma la coscienza? »

. . . .

« Il Dio... in nome del quale questa figlia di contadini tornata dalla città dove aveva fatto la serva... fa dei miracoli... non è un Dio antico... appunto contadino... biblico e un po' folle? »

. . . .

« E che senso ha che i suoi miracoli avvengano in questo angolo sopravvissuto di un mondo contadino? »

. . . .

« Dunque la religione sopravvive ormai, come fatto autentico, soltanto nel mondo contadino, cioè... nel Terzo Mondo? »

. . . .

« Questa santa matta, alle porte di Milano, in vista delle prime fabbriche, non vuol dire questo? »

. . . .

« Essa non è una terribile accusa vivente contro la borghesia che ha ridotto (nel migliore dei casi) la religione a un codice di comportamento? »

. . . .

« Dunque mentre questa santa contadina *si può salvare*, sia pure in una sacca storica, nessun borghese invece si può salvare, né come individuo né come collettività? Come individuo, perché non ha più un'anima ma solo una coscienza — nobile magari, ma per sua stessa natura, gretta e limitata —; come collettività perché la sua storia si sta esaurendo senza lasciare tracce, trasformandosi da storia delle prime industrie a storia della completa industrializzazione del mondo? »

.   .   .   .

« Ma il nuovo tipo di religione che allora nascerà (e se ne vedono già nelle nazioni più avanzate i primi segni) non avrà nulla a che fare con questa merda (scusi la parola) che è il mondo borghese, capitalistico o socialista, in cui viviamo? »

.   .   .   .

È prestissimo. Il sole, quasi, deve ancora nascere.

Il casolare, coi suoi grandi cortili, è tutto deserto. Al massimo, c'è qualche passero che cinguetta nel gelo. Solo Emilia è là, seduta come sempre sulla sua panca.

Ma dal portone grande, che dà verso la strada, ecco avanzare, incerta, una figura nera: è una vecchia, una vecchia sdentata, dolce, incerta come una bambina, che arriva di soppiatto, intimidita dai suoi stessi passi.

Ha addosso il suo vestito più buono, quello che mette la festa, per andare alla prima messa: e tuttavia entra come una ladruncola sotto il portone, dove è ancora piena notte — e ricompare sull'orlo della corte, sempre più incerta, sempre più disorientata.

Forse ha paura di aver capito male, di essersi sbagliata, di aver commesso qualche errore: e così scruta, piena di apprensione, là in fondo, dove la santa sta seduta eretta e inanimata. Solo dopo molto tempo, Emilia dà segno di essersi accorta di lei.

Si alza, allora, per la prima volta dopo tanto tempo, dalla sua panca; e, col passo lento e inva-

sato con cui mesi e mesi prima era tornata, raggiunge la vecchia, che l'aspetta, ora, con aria ras-
sicurata di complice.

Così, insieme, le due donne, senza dirsi una parola, cominciano il loro viaggio.

Rientrano nell'ombra del portone, e ne riescono
più in là, alla luce delle vaghe distese dei campi:
qui, però, invece di prendere a destra, per la strada
asfaltata, continuano per la carraia che si interna
nella campagna, verso un'altra porta bianca, uguale a quella del portone d'entrata, appena percettibile nell'aria ancora smorta.

. . . .
. . . .

Il sole è sull'orizzonte, come un triste disco nella
nebbia. Per i campi ancora scoloriti, le due donne,
silenziose e nere, camminano a passo svelto, come
se andassero a un mercato lontano.

Emilia sta piangendo disperatamente e silenzio-
samente: ma lascia che quelle prorompenti lacrime le colino giù ininterrotte lungo le guance, senza
asciugarle.

Già cominciano a infittirsi, intorno, le case ru-
stiche, circondate dai quartieri nuovi: tristi case,
illuminate da un sole che le raggiunge stralunato,
filtrato com'è dalla nebbia rimasta in fondo alla
campagna.

Come, oltre il fossato verde e stillante della strada campestre, appare un manifesto — immenso
come l'intera parete di un palazzo — dove un livido uomo, stringendo il pugno, annuncia l'imminen-
te sorgere in quella zona di una nuova città — Emi-

lia allunga il passo, piangente e severa — e presto
raggiunge una grande strada asfaltata, che lucci-
cando tristemente, punta verso Milano.

. . . .

. . . .

Con la vecchia compagna che le arranca ani-
mosa alle spalle, ormai Emilia, sempre spargendo
un fiume di intrattenibili lacrime, cammina nei sob-
borghi di Milano.

Non c'è vita ancora: tutto è fermo e composto
come durante la notte nel freddo chiarore della
luna.

Le due passeggere camminano in fretta, incuran-
ti che il loro passo violi quel silenzio della prima
alba, rispettato da tutti, uomini e cose, come per un
patto silenzioso. Soltanto il sole è presente, e pena,
lavorando stancamente per invadere ancora una
volta la città, con la sua luce volonterosa e sconsolata.

. . . .

. . . .

Giunta al luogo che essa ha prescelto — o che ha
trovato per caso e considerato adatto ai propri piani — Emilia si ferma. E la vecchia, senza chiedere
nulla, obbediente come una bambina, le si ferma
alle spalle.

Davanti a loro si apre un enorme terrapieno, dove si sta costruendo un intero gruppo di palazzi
della città. Nel centro di questo terrapieno, si alza,
vertiginosamente, una scavatrice: le sue mandibo-
le, nell'inerzia dell'ora antelucana, stanno sospese e
cascanti contro il cielo.

Non lontano dalla scavatrice, c'è una buca, profondissima, che la scavatrice deve appunto appianare. Emilia osserva quella voragine nel suo tetro colore di fango, e decide: con gesti lenti e ben calcolati comincia a scendere verso il fondo, aggrappandosi alle zolle sporgenti di terra, ai superstiti arbusti. Diligentemente, la vecchia, con le sue ultime forze, di contadina che ha lavorato senza lamentarsi per tutta la vita, le va dietro: non discute le decisioni della santa, le considera già pattuite in cielo, e nel suo semplice, vecchio cuore, ha stabilito che così deve essere. La buca è profonda quindici o venti metri, e, in fondo, il fango è ancora molle, luccicante di vecchie pozzanghere.

Diretta e sicura come un automa — ma sempre piangendo — l'Emilia si distende supina nel fondo della buca, addosso alla parete scoscesa. Poi lentamente, facendosi aiutare dalla sua fedele, si cosparge tutta di uno strato di fango: così che dall'alto essa è invisibile, confondendosi col terriccio molle e luccicante e le pozzanghere.

Le lacrime, che le escono abbondanti e ininterrotte, sciogliendo il fango solo intorno agli occhi, vanno a raccogliersi in una minuscola pozza.

Quando l'Emilia è tutta coperta di fango (ed è ormai del tutto irriconoscibile, tanto da confondersi perfettamente col fondo della buca) come per una tacita intesa, la vecchia se ne va, arrampicandosi piano piano per la pista scivolosa che la porta in cima alla fossa, dietro al cui orlo scompare.

. . . .
. . . .

Il sole finisce ancora una volta con l'alzarsi, e con lo splendere tranquillo (come se tutta quella pena, caotica e mostruosa dell'alba, fosse stata un sogno). Preceduta da un parlottare di uomini, e da qualche colpo lontano — lungo i cantieri senza echi — ecco che d'improvviso, con uno stridio assordante, pauroso, pazzo, la scavatrice si risveglia. Gettato quel primo urlo, però, tace. Ripiombano il silenzio, e la pace del sole. Ma solo per qualche istante. Perché ben presto l'urlo ricomincia — per non finire più. Segue a tratti, lacerante, i movimenti scattanti e ottusi della macchina, che comincia a muoversi, avanti e indietro, avanti e indietro, come animata da una sua propria volontà, sia pure capace solo di brevi e pazzeschi ragionamenti: raccogliere brutalmente una enorme quantità di terra in un posto, rovesciarla, con un lungo cigolio di dolore, in un altro.

Dal mucchio di fango che copre Emilia continuano intanto a colare le lacrime, che ora sono un vero e proprio rivolo: e la piccola pozzanghera che esse hanno formato, si va ingrandendo.

. . . .

. . . .

La scavatrice ha quasi esaurito il suo compito: l'enorme buca, nel fondo della quale è andata a rimpiattarsi Emilia, non c'è più. Essa è ricoperta quasi completamente, di un terriccio ancora fresco e molle; che la scavatrice, portando a termine, sempre urlando, la sua fatica, sta ancora rovesciando negli ultimi affossamenti rimasti: ma ormai, della gran buca, pare essersi persa ogni memoria.

Nel posto — che ormai sarebbe ben difficilmente riconoscibile — dove Emilia è rimasta sepolta — dapprima lentamente — con la minuziosa lentezza con cui si muovono gli insetti — poi sempre più impetuosamente — comincia ad uscire un sottile zampillo d'acqua. Sono le lacrime di Emilia: pian piano esse formano una nuova piccola pozza, e da questa un filo d'acqua, comincia a scorrere lungo il terriccio.

È a questo punto che si sentono intorno delle grida allarmate — dei richiami — un pianto; poi un brusio di molte voci, che parlano concitate. Da quale parte dei cantieri giungono? Dagli ultimi piani, vuoti contro il cielo? Dalle officine all'aperto, coi tavolacci e i mucchi di tondini sul fango?

Ma grida e voci sembrano piuttosto vicine: infatti vengono da dietro una stecconata che dà proprio sul terrapieno appena finito, dove gli occhi dell'Emilia, sepolta, fanno rampollare le loro lacrime. Ed ecco che da là di dietro — dalla stecconata di legno fresco, dove una mano, molto rozza, ha dipinto con del catrame gocciolante, una falce e un martello — escono in gruppo degli operai.

Vengono avanti sul terriccio molle a passo affrettato, continuando a parlare concitatamente. Tra loro, uno avanza a stento sorretto dai compagni, che gli tengono un braccio sollevato, più delicatamente che possono. Il braccio è insanguinato, e il ferito si guarda intorno, camminando sgomento.

Come — quasi correndo — il gruppo è giunto vicino alla pozzetta delle lacrime, uno dei soccorritori, la vede, si ferma, e vi porta accanto, sospingendolo, il ferito: vi tuffa le mani a scodella, e con quell'acqua, senza pensarci su troppo (è un povero, vecchio operaio che certamente viene dalla campagna), lava la ferita al polso e alla mano del compagno.

Ma ecco che, non appena l'acqua comincia a lavare la carne dal sangue, comincia anche a guarirne la ferita: in pochi istanti il taglio si chiude, e il sangue cessa di scorrere.

Prima che gli operai, com'è naturale, comincino ad alzare le loro grida di stupore — abbandonandosi nelle manifestazioni ingenue e un po' sciocche, che gli uomini non sanno trattenere davanti alle cose di cui non hanno esperienza — c'è un momento di profondo silenzio. Le loro povere facce, scavate, dure e buone, sono volte verso quella pozzetta, che scintilla, inconcepibile, sotto il sole.

Il padre, Paolo, esce dalla villa, sale sulla sua Mercedes, e prende anche lui la strada, in fondo a cui l'ospite un giorno era scomparso.

Le piazze e i viali si seguono uguali intorno a lui, dietro i finestrini della sua macchina, nel grigiore plumbeo, cui si alterna ogni tanto, proprio nei posti più ostili e anonimi, qualche dolcezza miserevole di sole. Mal protetto dentro quella sua macchina potente, Paolo va per il centro, cercando. È l'ora in cui egli è di solito al lavoro: e infatti tutta Milano è al lavoro. Ma egli, invece, fuori da ogni regola e da ogni orario, *cerca*.

Come sua moglie Lucia, Paolo è sceso, e quanto, e con quanta inconsapevolezza, a patti con la vita: e il suo modo, quindi, di perderla, non può essere anch'esso che un patto, sia pure irragionevole e abbietto. Tuttavia gli sguardi di chi cerca, sono sempre uguali, qualunque cosa egli cerchi. E gli occhi di Paolo, nel guardarsi intorno — per quella città che lo vuole uguale a tutti e, per di più, sicuro di sé e prepotente padrone — sono così supplichevoli, così offesi, così ansiosi, che quel patto stipulato con la sua vita, *per poterla perdere*, ha anch'esso qualcosa di estremista e di puro.

. . . .

. . . .

È giunto davanti alla piazza della Stazione Centrale: qui ci sono dei lavori in corso, ed è difficile parcheggiare la macchina. Egli gira intorno, angosciato, infantilmente infuriato (vecchia abitudine) contro tutti gli altri uomini: i meravigliosi inferiori che popolano saggiamente e inconsapevolmente la vita. Trova infine un buco, vi lascia la macchina. Scende nascondendo meglio che può la faccia contro il bavero del cappotto, intimidito, smanioso, brutale dietro la maschera di una eccessiva calma.

Entra nella stazione, e vaga un po' per gli stanzoni della biglietteria (ha la giustificazione di comprare dei giornali e di consultare il tabellone delle partenze). E intanto si guarda intorno, fingendo di niente, *a cercare*. Poi, come altre decine e decine di anonimi che hanno la sua stessa ansia di dignità, va verso la scala mobile, sale, ed eccolo tra gli spazi lattiginosi dell'enorme volta della pensilina. In quel mondo simile a un limbo, l'incertezza di Paolo aumenta, diventa quasi un panico. Dove andare? Come giustificarsi lì, in un luogo dove tutti hanno delle ragioni così precise di essere? Si finge, è vero, un cittadino che aspetta famigliari o amici in arrivo con qualche treno: tuttavia deve *cercare*, e, quindi girare, muoversi, compromettersi: questa è una cosa più importante della sua dignità.

Il miracolo gli accade, come sempre, quando tocca il fondo: Paolo infatti si trova, ormai disperatamente, nella banchina meno affollata e meno luminosa della stazione — lungo la parete di sinistra.

con la sua serie di tristi porticine, fin laggiù, in fondo all'immensa arcata di ferro, dove appare il chiarore del cielo (e il lettore deve accontentarsi di questo accenno, che non dice tutto: ma il nostro è un referto scritto con timidezza e con paura).

I due occhi azzurri di una faccia che si volta guardando sopra la larga spalla, sono quelli di un giovane seduto miseramente su una panchina: forse un disoccupato, che ha lunghe ore da trascorrere da solo, aspettando che qualcosa succeda, o semplicemente un operaio, che aspetta, paziente come un coscritto, il suo accelerato.

Sono due occhi pieni di bontà e di innocenza.

Paolo si ferma, dietro di lui, certo letteralmente tremando. Comincia a sforzarsi di leggere il giornale, e, secondo il piano, ogni tanto, guarda. Ciò che spera è che il ragazzo si torni a voltare. Ma il ragazzo sembra perso in una distrazione di animale assonnato: chissà che pensieri, che prospettive ha nella testa, e in che luogo di sogno si svolge la sua vita.

Passano i minuti, e il ragazzo non si volta; mentre Paolo, alle sue spalle, fa ogni sforzo per continuare a fingersi, magari duramente, una persona quasi severa e rigida, benché un poco inquieta: tanto da non poter trattenere l'attenzione per più di qualche istante sul suo giornale.

I due occhi azzurri, buoni, innocenti, e ora un po' sgomentati — si voltano improvvisamente, e si fermano negli occhi di Paolo: che risponde quasi ostile a quello sguardo, incapace di ogni reazione.

Passano altri minuti, molti. Poi, come in un sogno, il ragazzo si alza. Tutto si conclude? Le cose si risolvono così amaramente e con tanta chiarezza?

È alto, robusto (e buono, innocente, anche nelle fattezze del corpo. Sì, un coscritto, coi suoi poveri panni borghesi di ventenne).

Dove se ne andrà, adesso, senza voltarsi?

Piano piano, Paolo si rende conto che si dirige verso il fondo della pensilina (là dove c'è il biancore del cielo), e che non è vero che non si volti: prima di varcare la triste porta, poco lontana da lì, egli infatti, fugacemente, guarda indietro ancora una volta, coi suoi occhi azzurri, carichi di luce, e vuoti di ogni espressione.

Paolo si muove anche lui — fa qualche passo nella luce tenebrosa della stazione — va incerto verso quella piccola porta — ma poi si ferma di colpo.

Non entreremo neanche nella coscienza di Paolo — come non siamo entrati nella coscienza di Lucia. Ci limiteremo a descrivere i suoi atti, dovuti — ciò è evidente — a una coscienza già fuori dalla vita.

Come vinto e grato, egli comincia diligentemente a togliersi il bel cappotto leggero, ineccepibile opera di origine inglese — e se lo lascia cadere ai piedi, dove esso si affloscia, come qualcosa di morto e subito divenuto estraneo a lui; la stessa sorte ha la giacca, seguita dalla cravatta, dal pullover, dalla camicia.

Paolo resta così a petto nudo, sulla pensilina della stazione, e la poca gente che gira da quelle parti, nell'ora morta, comincia a fermarsi e a guardarlo. Cosa succede a quell'uomo?

Ormai estraneo a tutto, Paolo continua, imperterrito e assorto lontano, a spogliarsi di quello che ha addosso, quasi egli non sapesse più distinguere la realtà dai suoi simboli; oppure, forse, come se egli si fosse deciso a valicare una volta per sempre i vani e illusori confini che dividono la realtà dalla sua rappresentazione. Cosa, insomma, che fanno gli uomini che qualche fede distacca per sempre dalla loro vita.

Così sopra gli altri vestiti, cadono prima la canottiera, poi i calzoni, le mutande, i calzetti, le scarpe. Accanto al mucchio dei vestiti, appaiono alla fine i due piedi nudi: che si girano, e, a passo lento, si allontanano lungo il pavimento grigio e lustro della pensilina, in mezzo alla folla della gente, calzata, che si stringe intorno, allarmata e muta.

Suonano le campane di mezzogiorno dalla vicina Lainate, o da Arese, ancora più vicina. Ad esse si mescolano le sirene.

La fabbrica si stende per tutta la lunghezza dell'orizzonte, come un'immensa zattera ancorata tra le marcite e le barriere trasparenti di pioppi.

L'atmosfera è elegiaca: quei due tre chilometri di muraglie orizzontali, sfumate nella nebbia leggera, sembrano cingere, con tenerezza e nitore lombardo, «calma, lusso e voluttà». Anche le centinaia e centinaia di macchine ferme in fila ai posteggi, non sembrano che tasselli colorati di quell'ordine e di quella pace.

Poi, d'improvviso, è un vero inferno: i seimilacinquecento operai della fabbrica cominciano a uscire, insieme, vomitati dai teneri cancelli, e le distese dei posteggi sono sconvolte come da un ciclone.

Tuttavia gli spiazzi davanti alla fabbrica sono immensi, e la folla degli operai, dilagandovi, vi si dirada. E ben presto finirebbe col dileguarsi del tutto, se non si formassero qua e là, imprevisti e fuori da ogni regola, dei capannelli, degli ingorghi, come nei giorni di preparazione di qualche sciopero, o prima delle elezioni. Ci sono anche drappelli di poliziotti, attenti e sornioni, mentre dei borghesi, evidentemente giornalisti o curiosi, si mescolano agli operai.

Il lettore dovrà, a questo punto, adattarsi per una seconda volta, per quanto è possibile con pazienza, a un nuovo inserto nella favola: premere il pedale della povera logica quotidiana, abbandonando, con comprensibile disappunto, quello della dolce immaginazione.

Un giornalista, infatti, — o un cronista, con la sua macchina da presa — forse lo stesso del casolare di Emilia — affronta con un'aria professionale che non maschera né la timidezza né la cattiva coscienza, la folla degli operai: e comincia a fare loro le domande che ha diligentemente preparato, in quel suo linguaggio di bassa lega, di cultura per cittadini medi.

Ecco, all'incirca, queste domande, delegate a riportare bruscamente alla squallida prosa dell'attualità, senza di cui, del resto, né l'autore né il lettore — uniti in tacita e colpevole alleanza — saprebbero avere la coscienza in pace:

« Lei è un operaio che lavora qui? Da quanti anni? E lei? Bene, che cosa ne pensate dell'atto del vostro padrone? »

. . . .

« Egli ha donato a voi operai la sua fabbrica: ora ne siete i proprietari: ma non vi umilia il fatto di avere ricevuto questa donazione? »

. . . .

« Non avreste preferito ottenere il vostro diritto

al potere sulla fabbrica attraverso un'azione dovuta a voi stessi? »

. . . .

« In tutto questo, il protagonista non resta il vostro padrone? E, quindi, egli non vi ha messo in ombra? Non vi ha tagliati fuori, in qualche modo, dal vostro futuro rivoluzionario? »

. . . .

« Ma l'atto del vostro padrone è un atto isolato, o rappresenta, piuttosto, una generale tendenza di tutti i padroni del mondo moderno? »

. . . .

« La partecipazione al potere sulla fabbrica, ottenuta attraverso una serie di donazioni — o, diciamo meglio, di concessioni — dove può portare la classe operaia? »

. . . .

« La mutazione dell'uomo in piccolo borghese sarebbe totale? »

. . . .

« Se dunque prendiamo questa donazione come un simbolo o un caso estremo del nuovo corso del potere, essa non finisce col presentarsi come un primo, preistorico contributo alla trasformazione di tutti gli uomini in piccoli borghesi? »

. . . .

« Come atto pubblico, allora, la donazione della fabbrica sarebbe, almeno dal punto di vista degli operai e degli intellettuali, un delitto storico, e, come atto privato, una vecchia soluzione religiosa? »

. . . .

« Ma questa soluzione religiosa non è la sopravvivenza di un mondo che non ha più nulla a che fare col nostro? Non nasce dalla colpa anziché dall'amore? Così che un borghese non potrebbe mai ritrovare la sua vita, neanche se la perdesse? »

. . . .

« L'ipotesi — non molto originale — sarebbe dunque che la borghesia non può più in nessun modo liberarsi della propria sorte, né pubblicamente né privatamente, e che *qualunque cosa un borghese faccia sbaglia?* »

. . . .

« Si può considerare causa di tutto questo l'idea del possesso e della conservazione? »

. . . .

« Ma l'idea del possesso e della conservazione, su cui si fonda la condanna della borghesia, non sono una caratteristica del vecchio mondo padronale? Mentre il nuovo mondo non si cura tanto di *possedere e di conservare quanto di produrre e di consumare?* »

. . . .

« Se è stato l'antico mondo contadino a prestare alla borghesia nascente — ai tempi in cui essa fondava le sue prime industrie — la volontà del possedere e del conservare, *ma non il suo sentimento religioso*, non è stata giusta ogni indignazione e ogni rabbia contro di essa? »

. . . .

« Ma se ora questa borghesia sta mutando rivoluzionariamente la propria natura, e tende a rendere simile a sé tutta l'umanità, fino alla completa identificazione del borghese con l'uomo — quella vecchia rabbia e quella vecchia indignazione non hanno perduto ogni senso? »

. . . .

« E se la borghesia — identificando a sé l'intera umanità — non ha più nessuno al di fuori di se stessa cui deferire l'incarico della propria condanna (che essa non ha mai saputo o voluto pronunciare), *la sua ambiguità non è divenuta finalmente tragica?* »

. . . .

« Tragica perché, non avendo più una lotta di classe da vincere — con qualsiasi mezzo, anche criminale, come l'idea di Nazione, di Esercito, di Chiesa confessionale ecc. — essa è rimasta sola di fronte alla necessità di sapere ciò che essa è? »

. . . .

« Se essa, almeno potenzialmente, è vittoriosa — e il futuro è suo — non tocca a lei stessa, ormai (e non più alle forze della contestazione e della rivoluzione), di rispondere alle domande che la storia — che è la *sua* storia — le pone? »

. . . .

« A QUESTE DOMANDE ESSA NON PUÒ RISPONDERE? »

19 «Ah, miei piedi nudi...»

Ah, miei piedi nudi, che camminate
sopra la sabbia del deserto!
Miei piedi nudi, che mi portate
là dove c'è un'unica presenza
e dove non c'è nulla che mi ripari da nessuno sguardo!
Miei piedi nudi
che avete deciso un cammino
che io adesso seguo come in una visione
avuta dai padri che hanno costruito,
nel '20, la mia villa di Milano, e dai giovani
architetti che l'hanno completata nel '60!
Come già per il popolo d'Israele o l'apostolo Paolo,
il deserto mi si presenta come ciò
che, della realtà, è solo indispensabile.
O, meglio ancora, come la realtà
di tutto spogliata fuori che della sua essenza
così come se la rappresenta chi vive, e, qualche volta,
la pensa, pur senza essere un filosofo.
Non c'è infatti, qui intorno, niente
oltre a ciò che è necessario:
la terra, il cielo e il corpo di un uomo.
Per quanto folle, abissale o etereo
sia l'orizzonte oscuro, la sua linea è UNA:
e qualunque suo punto è uguale a un altro punto.
Il deserto oscuro che sembra sfolgorare

tanta è la sua durezza zuccherina,
e la cavità del cielo, immedicabilmente azzurra,
mutano sempre ma sono sempre uguali.
Bene. E cosa dire di me?
Di me, che sono dove ero, e ero dove sono,
automa di una persona reale
mandato nel deserto a camminare per essa?
IO SONO PIENO DI UNA DOMANDA A CUI NON SO RISPOND[
Triste risultato, se questo deserto io l'ho scelto
come il luogo vero e reale della mia vita!
Colui che cercava per le strade di Milano
è lo stesso che cerca ora per le strade del deserto?
È vero: il simbolo della realtà
ha qualcosa che la realtà non ha:
esso ne rappresenta ogni significato,
eppure vi aggiunge — per la stessa sua
natura rappresentativa — un significato nuovo.
Ma — non certo come per il popolo d'Israele o l'apost[
questo significato nuovo, mi resta indecifrabile. [Paolo
Nel profondo silenzio dell'evocazione sacra,
mi chiedo allora se, per andare nel deserto,
non bisogni avere avuto una vita
già predestinata al deserto; e se, dunque,
vivendo nei giorni della storia — così meno bella,
pura ed essenziale della sua rappresentazione —
non bisogni aver saputo rispondere
alle sue infinite e inutili domande
per poter rispondere, ora,
a questa del deserto, unica e assoluta.
Misera, prosaica conclusione,
— laica per imposizione di una cultura di gente oppres[
di una vicenda cominciata per portare a Dio!

Ma cosa prevarrà? L'aridità mondana
della ragione o la religione, spregevole
fecondità di chi vive lasciato indietro dalla storia?
Dunque, il mio viso è dolce e rassegnato
quando cammino lentamente —
affannato e grondante di sudore,
quando corro —
pieno di uno spavento sacro,
quando guardo intorno questa unicità senza fine —
infantilmente preoccupato,
quando osservo, sotto i miei piedi nudi,
la sabbia su cui scivolo o mi arrampico.
Proprio, appunto, come nella vita, come a Milano.
Ma perché, improvvisamente, mi fermo?
Perché guardo fisso davanti a me, come vedessi qualcosa?
Mentre non c'è nulla di nuovo oltre l'orizzonte oscuro,
che si disegna infinitamente diverso e uguale,
contro il cielo azzurro di questo luogo
immaginato dalla mia povera cultura?
Perché, fuori dalla mia volontà,
la mia faccia mi si contrae, le vene
del collo mi si gonfiano,
gli occhi mi si empiono di una luce infuocata?
E perché l'urlo, che, dopo qualche istante,
mi esce furente dalla gola,
non aggiunge nulla all'ambiguità che finora
ha dominato questo mio andare nel deserto?
È impossibile dire che razza di urlo
sia il mio: è vero che è terribile
— tanto da sfigurarmi i lineamenti
rendendoli simili alle fauci di una bestia —
ma è anche, in qualche modo, gioioso,

tanto da ridurmi come un bambino.
È un urlo fatto per invocare l'attenzione di qualcuno
o il suo aiuto; ma anche, forse, per bestemmiarlo.
È un urlo che vuol far sapere,
in questo luogo disabitato, *che io esisto,*
oppure, che non soltanto esisto,
ma che so. È un urlo
in cui in fondo all'ansia
si sente qualche vile accento di speranza;
oppure un urlo di certezza, assolutamente assurda,
dentro a cui risuona, pura, la disperazione.
Ad ogni modo questo è certo: che qualunque cosa
questo mio urlo voglia significare,
esso è destinato a durare oltre ogni possibile fine.

FINE

Allegati

A proposito del cap. 6, parte 1 (« Fine dell'enunciazione »):

Le jeune homme dont l'œil est brillant, la peau brune,
Le beau corps de vingt ans qui devrait aller nu,
Et qu'eût, le front cerclé de cuivre, sous la lune
Adoré, dans la Perse, un Génie inconnu,

Impétueux avec des douceurs virginales
Et noires, fier de ses premiers entêtements,
Pareil aux jeunes mers...

(Da « Poésies » di A. Rimbaud)

A proposito del cap. 14, parte 1 (« Rieducazione al disordine e alla disobbedienza »):

« *Prima che ti formassi nell'utero, ti ho conosciuto*
[conoscenza che implica anche, com'è noto, l'amore fisi-
co]; *prima che tu uscissi dal ventre, ti ho santificato; ti*
ho stabilito profeta delle nazioni. »

E io ti dissi: « *Ohimè, Dio, ecco* io non so parlare,
perché sono giovane » [la sottolineatura è nostra].

Ma Dio mi rispose: « *Non dire:* ‹ *sono giovane* ›, *ma*
va' solo dove ti manderò e annuncia quanto ti ordinerò. »

Dio stese la mano, mi toccò la bocca e Dio disse a me:
« *Ecco, pongo le mie parole sulla tua bocca.* »

(Dal « Libro di Geremia », cap. 1, vv. 5-9)

A proposito dei capp. 16 e 17, parte 1 (« È la volta del
padre » e « Tutto miracoloso come la luce del mattino
mai vista »):

Giacobbe rimase solo; ed ecco, un uomo [ossia Dio] *lottò con lui fino allo spuntar dell'aurora. Quegli vide che non riusciva a vincerlo e lo toccò all'articolazione del femore, e l'articolazione del femore di Giacobbe si slogò, mentre egli continuava a lottare con lui. Disse quegli: « Lasciami andare, perché l'aurora è spuntata. »*

(Dal « Genesi », cap. 32, v. 24)

A proposito del cap. 22, parte 1 (« Attraverso gli occhi del padre innamorato »), il passo di Rimbaud che l'ospite sta leggendo, è probabilmente questo:

... Ella [nel nostro caso « egli »] *apparteneva alla propria vita: e il turno di bontà avrebbe messo più tempo a riprodursi che una stella. L'Adorabile che, senza che io l'avessi mai sperato, era venuta* [nel nostro caso « venuto »]*, non è ritornata* [ritornato]*, e non tornerà mai più.*

A proposito dell'intera enunciazione (o, com'è detto nel testo, « referto »):

Mi hai sedotto, Dio, e io mi sono lasciato sedurre, mi hai violentato [anche nel senso fisico] *e hai prevalso. Sono divenuto oggetto di scherno ogni giorno, ognuno si fa beffe di me...*

Sì, io sentivo la calunnia di molti: « Terrore all'intorno! Denunciatelo, e lo denunceremo. » Tutti i miei amici spiavano la mia caduta: « Forse si lascerà sedurre e così noi prevarremo su di lui e ci prenderemo la nostra vendetta su di lui. »

(Dal « Libro di Geremia », cap. 20, vv. 7 e 10)

Indice

Parte prima

Appendice alla parte prima

Parte seconda

Finito di stampare
il 7 giugno 1994
dalla Garzanti Editore s.p.a.
Milano